D0095037

ИРИНА ХАКАМАДА
SEX
В БОЛЬШОЙ ПОЛИТИКЕ

ИРИНА ХАКАМАДА

SEX
В БОЛЬШОЙ ПОЛИТИКЕ

“Новая газета”
“Книжный Клуб 36.6”
МОСКВА
2006

УДК 882-311.2
ББК 84 Р7
Х16

Художественное оформление — Андрей Бондаренко

Фотограф — Антон Ланге

Под редакцией Лилии Гущиной

Хакамада И.

Х16 SEX в большой политике. Самоучитель self-made woman. Москва: АНО "РИД "Новая газета". 2006. — 230 с.

Публичные политики издают сочинения о себе любимых двух видов: автобиографические, написанные в жанре жития святых, и производственные, написанные в жанре доноса на конкурентов и противников, в которых рассказывается о скрытых механизмах борьбы за власть. "SEX в большой политике" — ни первое, ни второе. Достоинство книги Ирины Хакамады не в этом. А в том, что ее интересно читать. И тем, кто не равнодушен к политике, и тем, кому до нее нет никакого дела.

Охраняется Законом РФ об авторском праве

ISBN 5–91147–001–2

© И. Хакамада, 2006
© "Новая газета", оформление, 2006

Содержание

Есть такие женщины — со сказочным везением. Они и из декабрьского леса, вместо того чтобы послушно замерзнуть и быть съеденными, нахально возвращаются с подснежниками, с женихом, с сундуком с приданым и почетным эскортом из семи богатырей. Куда бы они ни свернули, судьба им тут же стелет под ноги ковровую дорожку. Они не карабкаются по карьерной лестнице, расплачиваясь за подъем фригидностью, одышкой и мизантропией. К их услугам — скоростные хрустальные лифты: сразу — вжик! — и уже наверху. Вчера она — бизнесмен, сегодня — депутат, завтра — министр, и всегда — счастливая мать и жена. Глядя на их изображение на экране или в журнале и сравнивая его со своим собственным отражением в зеркале, хочется подкараулить одну из них в темном переулке и ласково, но убедительно спросить: как ей это все удается?

Ирину Хакамаду никто не подкарауливал. Она добровольно села и написала эту книгу, в которой поделилась всем, чем могла поделиться.

Высшие должности походят на крутые скалы: одни только орлы и пресмыкающиеся взбираются на них.

Анна де Сталь,
писательница

Тема первая: *Синхронный перевод с кремлевского*

Никто не знает его имени, никто не знает его фамилии, но все четко знают — от этого бесшумного, как летучая мышь, почти невидимого человечка с длинным носом и близко посаженными глазами зависит судьба: уже не первое десятилетие каждое утро он расставляет на столах в зале заседаний Белого дома таблички с фамилиями государственных чиновников и народных избранников. Иногда согласно приказу, но чаще согласно собранной информации, нюхом угадывая настроение хозяина. Расстоянием от таблички до главного тела определяется градус лояльности к тебе высшей власти. Расстояние уменьшилось — тобой довольны. Расстояние увеличилось — впал в немилость. Направится какой-нибудь замминистра или депутат к своему нагретому месту, почти на него опустится — откуда ни возьмись возникает человечек и указывает куда-то на край стола, за которым уже пропасть:

— Сегодня вам — туда.

— Как — туда? Почему — туда? Что я такого сделал?

Человечек не отвечает. Ставит табличку-приговор и исчезает. Такой ежеутренний сеанс русской рулетки, взбадривающий эффективнее, чем самый ледяной душ и самый черный кофе. И подобное веселье у него на каждом шагу. Вся жизнь российских царедворцев — сплошная нумерология, чтение шифровок, водяных знаков и напряженная ловля ультразвуковых сигналов, недоступных нормальному уху.

Два пишем, три — в уме

На одном из моих первых заседаний в правительстве Петр Мостовой мне объяснил: когда начнутся доклады, следи за Степанычем. Кивнул головой — все нормально. Встрепенулся, уставился на докладчика, тяжело вздыхает — парень может готовиться к отставке.

Скоро я овладела эзоповым языком системы на уровне синхронного перевода.

Если пробиваете на правительстве тему, очень важно, под каким она номером. В первой тройке — вас еще уважают. Под номером пять или шесть — ловить нечего: или заседание к этому моменту закончится и вопрос перенесут, или вы — маргинал и ваша тема никого не волнует.

Выступление должно быть сухим по форме и накатанным по содержанию. Никакого художественного свиста. Интонация — невыразительная, без пауз и акцентирования. Глаза уперты в текст.

Во время вашего выступления народ спрятал ручки, захлопнул блокноты, смотрит в компьютеры и тихо нажимает на кнопочки — вы малозначимая фигура в правительстве.

Премьер кинул фразу: "Доклад закончен? Обсудили? Добро, добро... трудись дальше", — можно расслабиться, вы — на коне. Провальная редакция будет звучать так: "Доклад закончен? Обсудили? Да-а-а... Ну, поработай еще, поработай... учти замечание товарищей".

Вам задают много вопросов — дела совсем плохи. Значит, накануне были звонки: "...имей в виду, завтрашний доклад такого-то (такой-то) — полная фигня... парень (девка) лезет на рожон. Ты понимаешь, как себя надо вести?". Абонент понимает. И ведет себя как надо. На правительственных заседаниях — жесткая режиссура, никакой самодеятельности, инициатива наказуема. Все расписано — кто смеет подать голос, кто не смеет, кому можно возражать, кому нельзя.

Получили негласное добро — вопросов будет мало, и они будут позитивными.

В резолюции сказано, что “доклад замечательный, правильно расставлены основные проблемы и показаны пути решения”, — не спешите откупоривать шампанское. Если дальше написано, что требуются доработки по двум-трем вопросам, шампанское, конечно, можно выпить, и не одну бутылку, после чего навертеть из доклада кульки для семечек. Или наделать корабликов. Больше он уже ни на что не сгодится.

Если под документом подпись не поставлена перьевой ручкой, а оттиснуто факсимиле, значит, чиновник страхуется. Значит, есть в этом документе нечто, что его не устраивает или что может когда-нибудь обернуться против него — на суде от факсимиле легко отказаться: “...впервые вижу, впервые слышу, ничего не подписывал, печать украдена”. Я, в бытность свою министром, пользовалась этим приемом на полную катушку. Потому что заставляли визировать много бумаг, которые очень не нравились, которые шли кому-то на пользу, а мне во вред, а деться некуда, иначе сгнобят.

Любая бумага на неделю запирается в нижний ящик. Пытаться выполнять все поручения сверху — прямая дорога в Кащенко. Через неделю бумага всплывет заново — можно шевелиться. Девяносто процентов больше никогда не всплывает.

Церемония приветствия тоже вся на многозначительных нюансах. Всем пожали руки, а вас проигнорировали? Неважно почему, важно, что все это заметят и примут к сведению. Чтобы этого не допустить, нужно издалека поймать взгляд нужного объекта и не отпускать и вести его, мысленно внушая:

— Пожми мне руку, сволочь... пожми мне руку... а лучше — поцелуй меня (потому что если с вами еще и целуются, вы вообще в полном шоколаде).

Когда же сволочь послушалась и протянула ладонь, ее положено схватить и трясти с неимоверной преданностью и собачьим выражением глаз. И плечи нужно приопустить. Не принято с развернутыми плечами. Подбородком вперед и с прямым торсом в Белом доме ходят только военные. Они, может, и сами не рады, но ничего не изменишь, поскольку выучка. Остальные перемещаются слегка на полусогнутых: нельзя позволить, чтобы внезапно встреченное в коридоре начальство здоровалось с вами, задрав голову. А оно у нас все словно скроено по единой мерке. Кстати, занятная асимметрия: практически все русские императоры были акселератами. Их рост зашкаливал за сто восемьдесят сантиметров при среднем размере подданных сто шестьдесят. Не династия, а прямо какая-то баскетбольная команда! Исключений было два: Павел Первый и Николай Второй. Оба и дурно правили и дурно кончили. А все тираны двадцатого века (впрочем, и не двадцатого тоже) были, как известно, метр с кепкой. Зацикливаться на этом совпадении я бы не стала. К примеру, требовать, чтобы в сведения о кандидатах во власть, как в брачные объявления, были включены физические параметры. Во-первых, обманут, а телевидение кого надо вытянет, кого надо — сплющит. Во-вторых, в конце концов, "наше все", Александр Сергеевич Пушкин, тоже был птичкой-невеличкой. И Александр Васильевич Суворов. И Михайло Ломоносов. Об этом курьезе истории так, к слову. А вот на подробной психиатрической экспертизе каждого, кто жаждет порулить страной, я бы настояла. Мне не понятно, почему для вождения всего-навсего автомобилем справка о душевном здоровье требуется, а государством у нас с безжалостной регулярностью запросто управляют люди, чье клиническое безумие заметно и невооруженному глазу?

Меня бог ростом не обидел: романовские сто восемьдесят с гаком на каблуках, от которых я не откажусь ни ради чего. Осанка дороже. И гнуться не в моем характере. Так и бродила по Белому дому изысканным жирафом. Точнее, изысканной жирафой. Но один раз мне удалось соблюсти протокольный политес с помощью акробатического трюка, вспоминая который муж до сих пор пожимает плечами.

Весной 2000 года Константин Райкин пригласил на премьеру моноспектакля по Зюскинду "Контрабас". В антракте нас проводили за кулисы, к нему в кабинет. Я вошла и опешила — Путин, Лужков, Никита Михалков: Москва златоглавая. И у меня тут же взвихрилось в мозгу — вот он, президент, сейчас вытрясу из него душу! Я тогда занималась средним образованием и изо всех сил боролась против двенадцатилетки. Какие двенадцать? С армией ничего не решили, школы нищие, к тому же пятилетним малышам совсем ни к чему находиться рядом с восемнадцатилетними амбалами. Шагнула к гаранту и замерла: я же на шпильках. Черт, неудобно! И тут мои ноги сами собой разъехались чуть ли не на шпагат, одно колено согнулось, другое вытянулось, и я на глазах у изумленной публики (не прогнувшись) сравнялась ростом с ВВП! Мы мило побеседовали. Президент согласился с моими аргументами против двенадцатилетки, и, между прочим, реформа зависла.

Валтасаровы пиры

Незавиден и досуг российского функционера. Те же дикие нервы и бесконечная борьба за свое достоинство. Смотрит простой интеллигент по телевизору трансляцию концерта из зала консерватории и удивляется драматичному выражению статусного лица, взятого крупным планом: “Надо же, как проняло! Наверное, хороший человек, раз Вольфганг

Амадей Моцарт на него так действует". А "хорошему человеку" и Вольфганг, и Амадей, и тем более Моцарт по барабану. Он действительно страдает. Но оттого, что сосед оказался не по чину или ряд не по рангу. Например, шестнадцатый. Все, что после пятнадцатого и все боковые кресла, — для маргиналов. И получив билеты на какой-нибудь пафосный спектакль или концерт, опытный функционер сразу посмотрит: какой ряд? Седьмой? Нормально. Места — первое и второе? Не пойду.

Тоже с залами и номерами столов на кремлевских банкетах, где много званых, да мало избранных. Большие приемы в Кремле разбиты по разным залам. Есть Андреевский — для ближнего круга и есть Георгиевский — для массовки. Двери из одного зала в другой по-фарисейски распахнуты. Но если какой-нибудь разомлевший от обильной выпивки-закуски статист в генеральских погонах и орденах решит поздравить родного президента, на пороге из-под паркета вырастет биоробот (из ушей куда-то за спину тянутся спирали проводов, в зоне сердца под фирменным пиджаком что-то фонит и потрескивает) и раскинет стальные руки-крылья: "Вам туда нельзя".

Последний стол, за которым может сидеть статусная персона, не чувствуя себя оскорбленной и униженной, пятидесятый. В 1999 году, когда я ушла в отставку и автоматически вылетела из обязательного списка кремлевских гостей, мой муж добыл приглашение на новогодний прием. Хотел меня встряхнуть, а заодно решить какие-то свои дела. Я как профессионал сразу поинтересовалась номером нашего стола: восемьдесят четвертый. По всем законам идти нельзя. Это уже ниже плинтуса. Но Володя настоял, а во мне, видимо, проснулась прабабушка, кроткая японская жена, и вынудила продемонстрировать чудеса супружеской покорности.

...Это, как я и предполагала, был позор. За большими столами сидели федеральное правительство, московское правительство, мои вчерашние коллеги, и никто не видел меня в упор. У всех — скользящий взгляд, не кивнут, не сморгнут, не улыбнутся. Так, наверное, чувствовала себя Анна Каренина в театре. И тут поднялся крупный сановник, с сыном которого дружит мой муж. И пошел нам навстречу, и демонстративно обнял нас, и поцеловал московским политическим поцелуем — от всей души. Ситуация мгновенно поменялась. Меня все заметили, мне все кивают, мне все улыбаются. Те же двухсотлетней выдержки законы высшего света, детально описанные классиком. Помните, как Анне Аркадьевне было важно, чтобы хоть кто-то ее принял? И тогда бы приняли и остальные, и, глядишь, обошлось бы без смертоубийства. Но ей отказали все, начиная с автора. Наша элита копировала систему отношений той элиты, но как-то очень избирательно. Нет бы взять понятия о чести, о благородстве, о долге перед Отечеством. Чтобы проворовался — застрелился. Не сдержал слова — снова застрелился. Плеснул соком собеседнику в лицо — пожалуйте на дуэль. Оклеветал публично — опять к барьеру. Не к телевизионному, а настоящему: с десяти шагов без бронежилета. Правда, начни они жить по *таким* понятиям, уже через сутки некому было бы править страной. В живых остались бы только Матвиенко, Слиска и Жириновский, переодетый крестьянкой Тобольской губернии.

Дни рождения в чиновничьей среде — это особое испытание для здоровой человеческой психики. Подношения, цветы, дифирамбы, торжественные и лживые, как надгробные речи. Подарки — фарфоровые сервизы, статуэтки, картины, вазы, дорогие шарфики от Кензо или Хермес (я их раздавала пожилому поколению). Духи — тоннами, в основном убойные, типа "Пуазона" (я его, кстати, в свое время демонстрировала, после чего родился миф, что я владею сетью парфюмерных магазинов). В Думе этим халявным парфюмом несет от большинства дам. У меня очень сильное обоняние, как у беременной, и я там просто задыхалась. Особенно в лифте. На девятом этаже вывалилась из него, как из окопов Первой мировой после газовой атаки. Недаром все думское начальство живет на втором и третьем этажах. И в коридорах парламента не так густо, как в лифтах, но тоже пахнет щами, потом и перегаром. Ближе к вечеру из-под дверей кабинетов начинает просачиваться запах свежего алкоголя. В Белом доме спасали очень хорошие кондиционеры. Там пахнет кожей, дорогими коврами и чуть сигарами. В Кремле не пахнет ничем. Это дворец небожителей. В его лабиринтах, которые ведут в никуда, человечьего духа нет. Не витает.

От Чубайса в подарок на день рождения мне однажды прислали кошелек. Пустой. Сбербанк тоже прислал кошелек без денег. Странная закономерность! Все, кто сидит на бабках, шлют пустые кошельки. Еще любят возлагать на именинника розы. Хорошо, если не бордовые, могильные. Непременно по количеству лет. Приятно считать. Хочется в отместку дожить до ста — пусть разоряются. Или модные нынче тропические растения с жирными листами, мохнатыми палочками. Прикасаться к ним страшно. Кажется, дотронешься — и ужалят. Или букеты с бешеным количеством ленточек, трехэтажные, в целлофане, плоские и длинные, как венки. На такой только глянешь — и в ушах тут же начинает звучать траурный марш Шопена. Думаю, штампуют их в тех же конторах ритуальных услуг.

Чем большее количество випов удалось заманить на банкет, тем лучше. Сановник почтил именинника — и тот ему уже может позвонить по телефону, и он возьмет трубку. А так секретарь не соединит. Для банкета снимать нужно что-то помпезное, желательно с римскими колоннами, лепниной на потолке и натюрмортами в золоченых рамах. У нас есть такие заповедники. Общий поминальный стол буквой “П”, духовой оркестр с репертуаром из семидесятых. У микрофона весь вечер Басков или Кобзон. Меню тоже оттуда, из незабвенного застоя: рыба в кляре, салат столичный, осетрина холодная, осетрина горячая, икра черная, икра красная в яйцах. На горячее — тушеная говядина, курица или киевская котлета, приготовленные на натуральном сливочном масле. Сырный салат, огурчики, помидорчики. Все съел — и по-настоящему умер. Отвертеться от этого кошмара так же трудно, как от собственных похорон.

И получается, что российский чиновник, словно банковский грабитель, лавирует среди инфракрасных лучей сигнальной системы. Одно неловкое движение, зацепил, задел, не увернулся — и конец. Но в отличие от банковского грабителя у нашего чиновника это сумасшедшее напряжение — круглосуточное, то есть пожизненное. А ведь под серым титульным пиджаком от Хьюго Босс стучит живое сердце, а где-то приблизительно в том же районе нашаривается и душа. Они не выдерживают. Но обесточить систему, находясь внутри нее, нельзя ни на секунду. Можно только отключить собственное сознание.

Темные аллеи

Выпивка — единственная свобода в стиле жизни, которая у него осталась, единственный способ почувствовать себя независимым. Поэтому российский чиновник пьет, пьет страшно, пьет регулярно, пьет везде. А утром со светлым глазом принимает государственные решения. В этом смысле он — явление уникальное. Два показательных случая. Первый произошел в аэропорту Цюриха на обратном пути с Давосского форума. Российскую делегацию разместили в отдельном вип-зале, где вдоль стен стояли широкие барные стойки с бешеным количеством бутылок. Я отлучилась в дьюти-фри. Гриппующий, зеленый от болезни Немцов попросил купить духи жене. Ну сколько меня не было? Не дольше получаса. Когда вернулась, перед входом в зал перешептывались двое служащих с растерянными лицами. Что случилось? Немцову стало совсем плохо? Да нет, лежит, как лежал. Остальной народ сидит в креслах и тихо-мирно общается. Все как до моего ухода. Но все-таки что-то неуловимо изменилось. Я еще раз окинула взглядом зал и поняла, что на барных стойках ничего нет. Ни-че-го. За тридцать минут компактная группа смела весь могучий запас спиртного и потребовала продолжения банкета. При этом никто даже не раскраснелся. Все выглядели так, словно приняли по бокалу содовой со льдом. А однажды я летала с Сосковцом и его командой в Японию. Прикладываться начали еще на трапе. У каждого в кармане плескалась фляжка с виски. К моменту взлета фляжки у всех уже были пустые. А к моменту посадки делегация перепилась в ноль. По прилету буквально через три часа начинались мероприятия. Я была уверена, что головы от гостиничных подушек не оторвет никто и я буду в полном одиночестве. Явились все. Свежие, как майские ландыши на рассвете. Российская выучка!

Рассматривая по утрам на заседаниях правительства своих сослуживцев после какого-нибудь грандиозного застолья, я искренне восхищалась и завидовала. Передо мной сидели государственные мужи, ведущие здоровый образ жизни. Пьющей выглядела я из-за низкого давления и ночных бдений (классическая сова). Есть целый комплекс процедур, которые проделывают наши функционеры, чтобы привести себя в норму, специальные рецепты реактивной релаксации. Одним из них поделился со мной матерый сановник из тех, кто обязан прилично выглядеть при любых обстоятельствах: утро начинается со свежевыжатого лимонного или апельсинового сока (два-три-четыре стакана в зависимости от тяжести похмелья). Следом пьется очень крепкий и очень сладкий чай. Далее в первом перерыве между заседаниями следует очень аккуратно опохмелиться, совсем чуть-чуть, но обязательно. А в обед съесть много острой горячей пищи, вроде сосисок в томате, которыми Воланд реанимировал Степу Лиходеева. И мир вновь обретет краски. Поэтому до обеда в высокие кабинеты с серьезными проблемами не стоит соваться. Исключительно из гуманизма.

Но и в пирах достичь полного блаженства чиновнику не дано. “Что у трезвого на уме, то у пьяного на языке”— эта пословица не из его жизни. Над ним, как над Валтасаром, зажигается предупредительное табло: “слово не воробей, вылетит — не поймаешь”. Ляпнешь лишнее — все, кому надо, запомнят, кому надо передадут, и уже ничего не изменишь и не оправдаешься. Поэтому чиновник пьет, как разведчик: и после ящика водки он говорит ровно столько, сколько требуется, ни слова лишнего, а, казалось бы, отключенная память, словно диктофон, в авторежиме фиксирует нужную информацию.

Даже посмеяться над чьей-то шуткой и шутить сам чиновник вынужден с оглядкой. Например, если, услышав фразу: “Что мне делать с рейтингом? Стоит и стоит!”— вы опрометчиво заржете, как полковой конь, то наживете личного врага. Это не хохма. Это жалоба. Собственная шутка должна быть кондовой, чтобы ни у кого не оставалось сомнений: товарищ — ха-ха-ха! — пошутил. Все, что можно перетолковать, будет перетолковано, и так, что весельчаку станет не до смеха. Как-то раз на заседании правительства обсуждалось финансирование министерств, их внутренних нужд: чтобы отопление включали, телефоны не отключали, газеты доставляли и т.д. На трибуне кто-то бубнит, я привычно скучаю на камчатке и от скуки начинаю фантазировать вслух: как бы было здорово, если бы моему комитету поручили ставить печати. За каждую печать я бы брала сто рублей. Для удобства прорубила бы в кабинете две двери: в одну заходят со стольником, в другую выходят с печатью. А я сижу посередине, стучу колотушкой, и ваш убогий бюджет мне до лампочки. Постучала бы с годик и наколотила б себе красивый особнячок с фонтанами, скульптурами и шедеврами живописи на стенах.

Все смеялись, а громче всех, наверное, тот, кто потом распространил слух, что Хакамада открыто требует конвертик за любую свою подпись под любым документом, включая ресторанный счет. И поверили. "Чем циничнее ложь, тем охотнее в нее верят", — утверждал министр пропаганды Третьего рейха Генрих Геббельс, большой специалист в этой области.

Какие конвертики, какие бандероли, какие коробки из-под телевизора "Рекорд"? Легенды и мифы Древней Греции! Конвертики, кейсы с долларами — это каменный век коррупции. Чтобы построить те коттеджи, которые строятся, чтобы покупать те машины, которые покупаются, чтобы плавать на тех яхтах, на которых плавается, наши коррупционеры должны были бы каждый день, как многодетная мать из супермаркета, выкатывать из своих департаментов тележки, доверху груженные дневной выручкой. Но нелепость мифа даже не в этом. В стране царит двойная бухгалтерия, самый мелкий ларечник с незаконченным средним образованием научился скрывать свою прибыль так, что и сам порой не отыщет, а государственные чиновники плетутся в хвосте высоких технологий казнокрадства? Я вас умоляю! Тут разработаны такие схемы получения взяток — комар носа не подточит. Рисую три, самые распространенные.

Схема номер один. У каждого крупного начальника есть хитрый заместитель, который в свободное от государственной службы время возглавляет какой-нибудь фонд благих намерений. Культурный, гуманитарный, защиты животных, поддержки юных дарований или еще чего-то, на что всякий совестливый человек пожертвует, сколько сможет. А тот, кому нужен автограф крупного начальника, сколько попросят. Как только юные дарования получают поддержку, жертвователь получает подпись.

Схема номер два. Какая-то сфера деятельности государства вдруг начинает требовать углубленного исследования, ученых рекомендаций по ее развитию. Курирующий эту сферу чиновник собирает своих специалистов, они углубленно исследуют, учено рекомендуют, а гонорар по-братски делят с работодателем. Труд пылится в ящике. В сфере, за которую так болела душа, никаких изменений и сдвигов, естественно, не происходит. Но кому какое что? Вот договор, вот текст, вот платежные документы.

Схема номер три. Публикация огромных аналитических материалов. Я всегда удивлялась, почему разные министерства очень часто изобретают какие-то странные доклады, в которых повторяются одни и те же цифры, целые абзацы. А потому что на эти доклады выделяются бюджетные деньги, все авторы и соавторы получают огромные гонорары, а потом откатывают начальнику, который заказал трактат, до 70 процентов. В реальности этих схем тьмы и тьмы и тьмы. Не меньше, чем поз в древнем индийском трактате. Собрать, издать — и получилась бы такая "Камасутра" для коррупционера. И ведь каждую схему надо было придумать, воплотить и не спалиться!

Неудивительно, что среди чиновников много инфарктников. Их домашняя и карманная аптечка состоит из валидола и нитроглицерина. Кардиология — самое сильное отделение в президентской поликлинике. С чем бы туда ни обратился, первое, что проверяют, — сердце. Все, кого я знаю, уже побывали в больницах, у всех одышка, у всех тахикардия.

Когда я была министром, все мои попытки заманить к себе достойных людей оканчивались провалом. Чем ни соблазняла, как ни уговаривала, никто не соглашался. Тухнуть за крошечные зарплаты неохота, воровать неинтересно, вся жизнь в пополаме и ради чего? Результата-то никакого. Машина тупая, не работает....

Домашнее задание

Тест № 1.

Вы — руководитель одного из ведомств госдепартамента. Вам приносят циркуляр с административными решениями по отрасли, о которой вы не имеете ни малейшего представления, к которой ваше ведомство не имеет ни малейшего отношения, и тем не менее оно включено в число пяти исполнителей. Ваши действия?

1. С валидолом под языком метнетесь в Ленинку, где обложитесь профильной литературой.
2. С валидолом под языком отыщете специалистов и проконсультируетесь с ними.
3. С валидолом под языком попробуете связаться с теми, кто сочинил этот циркуляр, чтобы спросить у них: “Какого черта?”.

Правильный ответ:

ни то, ни другое, ни третье. Бумага спокойно отправляется в мусорную корзину, а вы спокойно, без всякого валидола под языком, живете дальше. Фактический исполнитель — то ведомство, которым открывается перечень. Остальные вписаны для объема.

Тест на развитие логического мышления:

1. Две женщины ждут лифт. Когда он приезжает, одна заходит внутрь, а другая остается на площадке. Створки закрываются и тут же открываются. Первая женщина покидает кабинку, вторая занимает ее место. Обе замирают. Наконец вторая женщина кивает головой, первая присоединяется к ней, и они уезжают. С какой целью были проделаны все эти телодвижения?
2. В подъезде элитного московского дома скрывается мужчина. Он одет в костюм, сшитый в начале 80-х на фабрике "Большевичка", в рубашку и галстук с Черкизовского рынка, на ногах ботинки явно российского производства, на запястье — часы марки "Полет". Через час мужчина появляется снова. Но теперь на нем костюм от Бриони, галстук от Гуччи, туфли неважно от кого, но тоже с несколькими нулями, швейцарские часы индивидуальной сборки. Мужчина направляется к "Мерседесу" с тонированными стеклами. Водитель распахивает заднюю дверцу:
— С возвращением, Василий Иванович!

Кто этот мужчина и откуда он вернулся?
3. Дворец культуры. Растяжка над входом приветствует участников конференции, которые мелкими партиями всасываются внутрь. К зданию подкатывает автомобиль, но вместо того чтобы припарковаться (стоянка практически свободна, если не считать парочки "Жигулей"), резко разворачивается и уезжает. Почему?

Правильные ответы:

1. Запустить в лифт сразу после себя подругу — идеальный способ проверить, в меру или нет вы надушены. Если в кабинке остался запах — это плохо. А правильнее всего про парфюм вообще забыть. Да пропади он пропадом, особенно тот, где на флаконах или коробочках обнаженная нимфа утопает в цветах или розовых подушках.
2. Нет, это не агент национальной безопасности, не маньяк и не олигарх, ищущий среди простолюдинок бескорыстную любовь. Это лидер думской фракции, который вернулся из Брянской или какой-нибудь другой области, где встречался со своими избирателями.
3. Это зазванный на конференцию вип, который обнаружил, что статусных машин на стоянке нет. Значит, организаторы конференции здорово преувеличили ее уровень, и никаких заявленных министров, членов парламента, ньюсмейкеров и прочего политического истеблишмента на ней не будет. Очень

распространенный блеф — налепить в приглашении самые известные фамилии, чтобы заполучить хоть кого-то. А персоне с именем и репутацией несолидно светиться на мелких мероприятиях. Сложится мнение как о человеке, который всюду бегает, только позови, и понятно, что такой человек не может быть серьезным партнером, политиком, экспертом.

Тема вторая: *Тусовка*

Искусство великосветской тусовки не давалось мне очень долго. Я не умела, я мучилась, я не понимала: вот пришла, вот встала с бокалом... а дальше? Меня никто не замечает, мной никто не интересуется, со мной никто не заговаривает. От стыда я глотала шампанское, от шампанского покрывалась пятнами (моя индивидуальная реакция на алкоголь) и через полчаса, потная, с красными ушами, я уже ничего не хотела. Ни заниматься политикой, ни пить это мерзкое теплое зелье, а хотела домой и чтобы снизили убийственный налог на добавочную стоимость. О чем и сообщала кому-то в ответ на первую же адресованную мне за вечер протокольную улыбку и замечание о прекрасной погоде. После чего “кто-то” отваливал от меня навсегда.

Это был непростительный профессиональный дефект. Приемы, фуршеты, презентации —

важная часть работы политика, бизнесмена, чиновника. На них точатся связи, на них за пять минут решаются проблемы, на которые были бы потрачены месяцы и потрачены впустую. В общем, никуда не денешься — надо учиться. Я начала наблюдать мир вокруг, смотреть внимательно фильмы, какой-нибудь церемониальный английский сериал вроде "Саги о Форсайтах" или американскую офисную мелодраму с ее обязательными корпоративными вечеринками. Подсмотренные там приемы тут же применяла на практике. Вот заметила, что образцовые героини повсюду опаздывают, даже на церемонию собственного бракосочетания, и, поборов свою болезненную пунктуальность, постаралась явиться с максимальной задержкой на очередную тусовку — прием в честь министра торговли США. У меня получилось опоздать ровно на сорок минут. Прием был очень пафосный, в ресторане при Донском монастыре. Я влетела в фуршетный зал, и презентационная улыбка приклеилась к губам, а ноги — к полу: огромный зал был... совершенно пуст! И тут появился помощник американского посла. Высоченный красавец. Американская элита не хуже, чем английская, и совсем другая, чем наша. Когда наша элита собирается вместе, окинешь взглядом: боже! отечность, мешки, мутный взгляд. А куда деваться? В России большая власть — это бесконечная большая пьянка!

Я посмотрела на помощника посла, как школьник на завуча. Помощник посла улыбнулся:

— Госпожа Хакамада? Все уже сидят за столами, я сейчас провожу вас на ваше место... И ничего не бойтесь. Самые выдающиеся люди приходят самыми последними. Вы — лучшая.

А дальше были стеклянные двери, хрустальные люстры, бешеное количество столов, посредине пустой коридор. В общем, гул затих, я вышла на подмостки... Кто-то сомневается, что посадили меня рядом с виновником торжества — министром торговли США?

С тех пор я аккуратно опаздываю куда положено и на сколько положено: посольский прием — 20 минут, банкирская тусовка — 40 минут, правительственный банкет — 10 минут. При этом моя непобедимая пунктуальность никак не страдает, потому что на самом деле я повсюду приезжаю вовремя. Просто припарковываю машину за углом и читаю прессу. Или прошвыриваюсь по окрестным магазинам.

Постепенно я освоила все жесткое мастерство великосветской тусовки и сформулировала для себя ее неписаные правила.

Закон рычага

правило первое, вернее, второе, потому что первое — опоздание

Нельзя зажимать важную персону в углу и грузить ее там с дикой скоростью своими проблемами, даже если эти проблемы вовсе не ваши, а страны, и для ее блага их надо решить немедленно, желательно тут же, в углу. Это неверно. Это непродуктивно. Продуктивно после дежурной любезности выстрелить в персону одной фразой, но такой, чтобы персона сама с трудом подавила желание оттеснить вас в угол для обстоятельной беседы. Положим, вы попали на гулянку Альфа-банка и перед вами то там, то сям мелькает Греф. Очень кстати мелькает. Потому что вам нужно, чтобы из правительства в парламент вывалился пакет антибюрократических законов по малому бизнесу, который в правительстве намертво застрял. Можно протиснуться к Грефу и, наматывая на кулак галстук, произнести пламенный монолог о пользе малого бизнеса для России и о вреде бюрократической паутины, в которой он задыхается. И ничего в результате не добиться. А можно подойти и, рассеянно сканируя взглядом зал, сказать:

— А знаете, я вчера была на встрече с президентом, и у меня сложилось впечатление, что вас скоро уволят.

— Что значит "уволят"?!

— Президент назвал ваше Министерство экономики методическим кабинетом. Законы разрабатываться разрабатываются, а дальше с ними ничего не происходит. Где, к примеру, пакет по малому бизнесу?

И пакет появится в парламенте через неделю...

Местоимение среднего рода

правило третье

О флирте, о поиске женихов или любовников — забыть! Светская тусовка предполагает активное поведение женщины, но без всяких половых мотивов. Никакого кокетства, никакого заигрывания. Здесь за вами не ухаживают. Здесь все работают. И еще здесь много глаз. Как разговариваете, с кем, в какой манере, позволяете ли лишнее — все заметят и супруге донесут, и потом он будет смотреть сквозь вас стеклянным взглядом и не здороваться. Ни в коем случае. Все женаты. Холостых патронов тут нет. И энергетики чувственности тут нет. Только комплименты. Правда, на них не скупятся. Но они — сплошное вранье. Поначалу я принимала их за чистую монету и, гордая, фланировала по залу, чувствуя, как же я хороша, пока однажды краем уха не услышала, как тетке с задницей с табуретку, с жирной тройной шеей, безвкусно одетой, но обладающей какой-то позицией в каком-то департаменте, говорят то же самое. Слово в слово. С теми же интонациями.

Пух и прах

правило четвертое, вытекающее из третьего

Нельзя быть в декольте, нельзя подчеркивать грудь, исключены прозрачные кофточки с мини-юбками, прозрачные колготки и сумасшедшие сапоги в обтяжку на шпильках. Надеть юбку, не стандартную, английскую по колено или чуть выше, а строгую, нерасклешенную, но до середины щиколотки с маленьким пиджаком — это уже неожиданно, это уже хулиганство. Политическая элита очень строгая. Здесь вам не банкирские дефиле, где все с ног до головы в бриллиантах, все оголенные, все в шикарных нарядах. И ту, что придет бедно одетой и без бриллиантов, очень осудят. Значит, у мужа плохое положение, и с его банком перестанут иметь дела. Так и в западном мире, так и у нас. У нас, правда, с избытком. Вот где бренды светятся везде — и на очках, и на сумках, и на пуговицах! Но при этом, что интересно, никто никому не говорит комплименты. Висят изумруды, одежда "от кутюр", сногсшибательные фигуры, рост, бедра, ноги, глаза. И — “привет — привет”. Я как-то спросила: почему? И мне объяснили, что это то же самое, что сделать комплимент мужчине, который купил “Порше”. Обновку оценят, но в мужской компании не принято восторгаться, “какая у тебя тачка”. То же и с женами. Все всё знают. На ком что одето, на какую сумму что сверкает.

Кстати, на частных вечеринках в этом кругу возникла весьма красноречивая традиция — сначала все сидят вместе и говорят о путешествиях. Исключительно о путешествиях. Кто где был, какие отели, какая еда, какие развлечения. Но очень недолго. А потом расходятся: мужчины перемещаются на мужскую половину с бильярдом, баром, ломберным столом — все как положено, женщины — на женскую. Прямо английское общество. Если мужчина приходит с женой, то автоматически они разлетаются. Нарушить традицию — пойти мужчине на женскую половину, а женщине на мужскую — нельзя. На мужской половине говорят о политике, на женской говорят о детях и, когда расслабятся, о мужьях. Потому что самое главное, что объединяет всех этих женщин, — лютая ненависть к своим мужикам. У них все хорошо — есть дело, есть средства, красота, здоровые дети, путешествия, все это им обеспечил мужчина, и все равно ненавидят. За то, что их искусственно отделяют. За то, что с ними не общаются, хотя они прекрасно разбираются в политике, в бизнесе (каждая, как правило, имеет свое небольшое дело — у кого мебельный магазин, у кого бутик, у кого дизайнерское бюро). За то, что их упорно ставят в нишу, как автомобили в гараж.

На любую тусовку, даже самую отвязную, одеваться надо в соответствии с возрастом. Не усугубляя его, но и не игнорируя. Чувство меры — дар богов. Сейчас очень модны брошки под старину, нарочито китчевые. Если ее приколоть на воротник серого свитера или на карман — это нормально. Но если на шее у вас бусы, в ушах серьги и еще и брошь — вам в торговые ряды. На одно тело — одна яркая ювелирная вещь. Другое дело — серебро. Вешайте на себя хоть килограмм.

Нельзя раскрываться в одежде полностью. Иногда это красиво. Так одеваются испанки. Но в нашем климате и культуре сексуальность не должна выпирать, ее лучше подчеркнуть нежирной чертой: белая рубашка с поднятым воротником под свободным пиджаком, расстегнутая так, что видны ключицы. Или можно вместо галстука на шею завязать трикотажный пояс, не мужским, а непонятным и смешным узлом на голой шее. Пиджак, майка, и что-то болтается на шее. Один итальянский торговец, в чей магазин я залетела, чтобы купить в командировку что-нибудь теплое, сватал мне красный свитер и недоумевал: почему мадам отказывается? Мадам очень сексуальная женщина. А почему вы решили, что мадам сексуальная женщина? Мадам подала знак. Какой? Мадам вся в черном, но из-под брюк у нее видны гольфы в сеточку. Так оно и было. Гольфы в сеточку не с коротким платьем, а именно с длинной юбкой или брюками, то есть неоткровенно, было моим ноу-хау. Один раз случайно в метро купила ажурные гольфики и подумала — хоп ля! — это же что нужно. Потом это вошло в моду.

Пирожок лишь надломила

правило пятое

На приемы надо приезжать сытой. Столы ломятся, выпивка рекой, но все это не имеет к вам никакого отношения. Другое дело, огромное количество интеллигенции и журналистов, которые сюда попадают, — у них низкие зарплаты, им простят. Человеку из политической элиты, особенно, даме, нужно быть готовой к разговору. С набитым ртом разговаривать неудобно. Полбокала сухого вина, на тарелке — что-то крохотное. Попиваешь, поклевываешь, потом тарелку поставила и рюмочкой гуляешь по залу, выискивая нужных людей. Легкая, звонкая, неголодная. Но каюсь, однажды я самостоятельно стрескала целую вазу печенья. Не от голода, от нервов.

Я только что стала министром по малому бизнесу. Меня со всех сторон зажали, и мне нужно было прорваться к Черномырдину.

Попасть к нему было почти невозможно. Даже будучи членом правительства. Черномырдина окружали помощники — совершенно жуткие мужики. Настоящие монстры. Сам Черномырдин был в сравнении с ними просто плюшевым мишкой. Я позвонила самому мягкому из них. "Будем думать", — ответили мне. В результате размышлений через несколько дней ко мне явился в длинном черном пальто молодой человек. И обрадовал меня сообщением, что собирается быть моим заместителем. Я в ответ обрадовала его, что этого не будет. Мы попрощались. Он — со мной, я — с надеждой на аудиенцию. Но на Восьмое марта Черномырдин устроил для дам чаепитие в Белом доме. И там я — терять нечего! — подгадала момент и попросила:

— Виктор Степанович, сделайте подарок.

— Какой?

— Мне надо с вами поговорить, но я не могу к вам прорваться.

— А прямо сейчас давай и поговорим!

И начал уходить. И я начала двигаться за ним по ковровым дорожкам. Вокруг огромные стены, гробовая тишина, все монументально, и Черномырдин впереди как царь. Когда между ним и мной оставалась последняя преграда — огромные деревянные двери кабинета, точно из-под земли вырос самый кошмарный из его холопов, некто Бабичев, и, пятясь спиной и ухмыляясь, перед моим носом стал закрывать эти двери! Уже сквозь щель мне была видна удаляющаяся спина Черномырдина. Все, шанс потерян. В отчаянии я пискнула:

— Виктор Степаныч, а как же я?

И Черномырдин на ходу, не оборачиваясь, кинул:

— Она со мной!

И двери снова стали медленно распахиваться... Жуть, кошмар, ватные ноги, уже ни о чем нет ни сил, ни желания говорить. Секретарша принесла чаю, печенье на серебряном подносе. Тут-то я и оторвалась...

Немного отвлекаясь от темы: при Путине все стало еще более жестким. В аппарате — какие-то молодые офицеры. Все дисциплинированно, все навытяжку, все культурно и все глухо:

— У меня договоренность с президентом об аудиенции. Назначьте, пожалуйста, время.

— Не назначим. Президент занят.

— Навсегда занят?

— Навсегда занят.

— А вы можете хотя бы зафиксировать мой звонок?

— И этого не можем. Всего доброго.

Окучивание приемных — это отдельное мастерство. Основное правило: на цирлах. Основной залог успеха: сервисное мышление. Нужно владеть искусством интриги, интуицией, терпением. Я всегда пыталась избежать приемных. Это очень плохо для функционирующего политика. Надо уметь налаживать контакты с холуями. С ними и с родственниками. С родственниками даже важнее. Потому что истинным влиянием в России чаще всего пользуются не секретари и не помощники, а родственники. Точнее, родственницы. С ними нужно выстраивать специальные отношения. Россия — страна византийская. Отношения выстраиваются через крещения, через рождения, через проведение семейных праздников, подарки, комплименты, помощь в неформальных делах: одеть, обуть, починить, вылечить. Это кажется, что в Кремле все так офигенно. Ничего там не офигенно. Попадешь не к тому врачу, пусть даже обслуживающему высокопоставленных лиц, и он иногда может навредить больше, чем обычный районный врач, через которого проходит огромное количество людей и который ничего не боится.

Век живи — век учись

правило шестое

Недавно я попала на непривычную для себя тусовку. Веселую, творческую, где все друг друга знают, а я никого. Те, с кем пришла, рассосались. И, словно тринадцать лет назад, я оказалась в полном вакууме. И, словно тринадцать лет назад, растерялась. Может, народ думал, что я до сих пор министр, большой чиновник, который случайно сюда попал, вцепилась в бокал, кого-то ищет деловым взглядом, и ей нельзя мешать. А я изнервничалась, пропотела сто раз и вообще собиралась уйти. Но вспомнила как раз накануне просмотренный фильм "С широко закрытыми глазами". Там пара приходит на вечеринку. Мужчину (Том Круз) заматывают. А женщина (Николь Кидман) остается одна. Плавно движется к барной стойке. Прислоняется к ней спиной, раскидывает вдоль стойки локти, в правой руке держит бокал. И, отпивая глоток за глотком шампанское, скользит глазами по залу. С ней никто не общается, но у нее вид абсолютно уверенной в себе женщины. Она излучает абсолютное спокойствие. На бокал не смотрит. Когда же он пустеет, мужская рука наполняет его заново... Стойки нет. Есть столб. Ладно, годится. Опираюсь на него плечом, одной рукой тоже опираюсь на него, второй держу на отлете рюмку. И делаю себе взгляд от Николь Кидман — спокойный, отдыхающий. Через пять минут вокруг меня намыло толпу незнакомых людей, все пытались со мной говорить — и вовсе не о политике. Век живи — век учись...

Мыльная опера

Есть еще третий жанр — гламурной тусовки. Это гремучая смесь пафоса с эпатажем. Весной меня пригласили на вручение одной гламурной премии. К приглашению прилагались пропуск и суровая инструкция: “Если у вас пропуск белого цвета, вы должны припарковаться слева от центрального входа, если ваш пропуск черного цвета, ваша стоянка — справа. Гости собираются за два часа до начала церемонии. Одежда — вечерние платья и смокинги. Имейте в виду, что как только вы откроете дверцу, начинается телесъемка вас и вашего автомобиля. Далее вы ступаете на красную дорожку и двигаетесь по ней через толпу поклонников...” и т.д. Я была на приеме у английской Королевы, в английском посольстве. Это был первый приезд королевы в нашу страну со времен казни царской семьи. Само посольство никого не мучило, никаких указаний не рассылало. Только намекнули, что королеве не принято трясти руку и обращаться к ней следует “Ваше Величество”, а к принцу — “ваше высочество”...

Теперь рассказываю, как было на вручении премии в действительности. Машины толпились кто где побросал. Никаких парковок налево и направо по цвету пропусков не было и не могло быть: церемония проходила в Международном Доме музыки, на набережной, где оборудованных стоянок просто нет. Никакой толпы поклонников тоже не было. По красной дорожке вместо звезд в туалетах брели журналисты в джинсах. Церемония началась с опозданием на три часа. На сцене за декорациями что-то все время жужжало, грохотало, у меня сложилось впечатление, что там варили трубы. Я перекрестилась, что послушалась интуиции и не явилась ни за два часа, ни в вечернем платье. Хороша бы я была с голой спиной в безлюдном зале. В России как поверишь — так и вляпаешься.

На гламурных тусовках, в отличие от чопорных правительственных приемов, царит искусственное оживление. Все светится, все пестрит, все, счастливые, смотрят в камеру, демонстрируя свое благополучие, все постоянно передвигаются, почему-то с деловым видом. Особенно мужчины. Возьмет рюмку и боевым шагом замарширует к противоположной стене. Возле стены развернется, окинет орлиным взором окрестность и решительно двинет в обратную сторону. Ну, думаешь, ну вот сейчас вырулит на объект, которому передаст микросхему или подписанный контракт на миллион долларов. А он домаршировывает до стола и берет креветку.

Эти тусовки разношерстные, люди друг друга не знают, на них можно встретить кого угодно — от моделей до промоутеров, от крутых бизнесменов до абхазских революционеров. В одном зале обычно накрыты шикарные столы, жрачка такая, что хочется забыть про диету и потом неделю голодать. В другом зале играет группа, русская попса, чтобы народ танцевал. Но мужчины не танцуют. Даже если хочется. Это, оказывается, западло — танцевать. Так в свое время себя вели бандиты на дискотеках. Быки с золотыми цепями сидели, а девчонки друг с дружкой подергивались. И непонятно — зачем эти бабки, зачем эта группа, которая пытается завести, а никто не заводится, зачем тратить бешеные деньги, зачем эти креветки, зачем это все, если даже веселиться мы не можем? Ни общаться, ни веселиться. Никто никогда не ответит на этот вопрос.

Домашнее задание

Тест № 1.

Вы попали на официальный прием, где собран весь табель о рангах госдепартамента. Ваша задача: не привлекая внимания и не вступая в контакты, отделить шестерок от тузов, понять, кто на подъеме, кто на закате. Какой из способов кажется вам наиболее эффективным?

а) Внимательно изучить обувь, сразу отсеивая тех, у кого туфли в пыли, а если на дворе холодное время года, то тех, кто обут по сезону, — это мелкие сошки. Они добирались на метро или пешком. Затем отфильтровать тех, кто позволяет себе алкоголь, от тех, кто алкоголя себе не позволяет. Те, кто не пьет, сами за рулем. Чиновник высокого ранга может себе позволить накатить. Он баранку не крутит. Статус обязывает его иметь водителя.

Из оставшейся могучей кучки козырный вип вычисляется путем вычитания — он покинет вечеринку первым.

б) Сначала отбракуете тех, у кого при себе имеется кейс, дипломат, портфель. Их таскает за собой номенклатурная плотва (дамские сумочки — не в счет, это аксессуар). У крупной рыбы функции кейса исполняет референт, который вьется рядом. Затем отсортируете тех, кто звонит по мобильнику. Не царское это дело — тыкать пальцами в кнопки и объяснять абоненту, кто на проводе. Потом отделите тех, кому звонят: право прямого доступа к мохнатому государственному уху имеют единицы, и вряд ли этим своим правом они активно пользуются.

в) Выстроить иерархию с помощью прессы. Внизу будут те, кого операторы со своей бандурой на плече таранят, как ледокол "Ленин", а наверху будут те, на ком неотступно сосредоточены их объективы.

Какой бы из способов вы ни выбрали, вынуждена вас огорчить (или обрадовать?) — вы не прирожденный чиновник. Истинным функционерам ни один из них не понадобится. У них ранжирование по чину происходит на уровне инстинкта. Где бы ни очутились, хоть на посольском фуршете, куда наприглашали уйму народа из разных ведомств и министерств, они каким-то нюхом сразу определяют и ровню, и того, перед кем не помешает прогнуться. Кивнули и отвернулись?

Адресат — фигура меньшего калибра. Коротко поконтачили? Или стоят на одной ступеньке, или тот, другой, пусть пока и занимает ступеньку ниже, но пошел на подъем. Не замечают в упор? Карьера катится под откос, не сегодня-завтра человека совсем задвинут. И если у вас это чутье не развито, на самом деле достаточно сканировать, кто с кем и как здоровается, и уже в течение первого получаса все вертикали и горизонтали будут безошибочно выстроены.

Побочная тема: *Начало*

Еще студенткой я поставила себе стратегическую задачу: к двадцати пяти годам иметь ребенка, а к тридцати защитить диссертацию, чтобы зарабатывать приличные деньги приличным трудом. Если же стать кандидатом наук не удастся, уехать на Север, где сияние и коэффициенты. Хочешь рассмешить Бога? Расскажи ему о своих планах. Нет, формально все исполнилось. И ребенок к назначенному сроку родился. И диссертацию я защитила. Но жить ни лучше, ни веселее не получалось. Все те же мерзлые антрекоты из заводской столовой в холодильнике, все те же единственные зимние сапоги преклонного возраста в прихожей. Бесконечные партсобрания, заседания кафедры тоже не поднимали настроения. На Север, к надбавкам и оленям, уже не хотелось. Помыкавшись, может, и решилась бы, но тут началась перестройка, и едва вышел закон о частном предпринимательстве, я и мой коллега по службе состряпали кооператив "С+П". Торговали компьютерными бухгалтерскими программами собственного производства и, конечно же, издавали журнал. С этого начинали многие. Для советской интеллигенции, втянутой в центрифугу перестройки, искушение попытаться разбогатеть на тридцати трех буквах русского алфавита было почти непреодолимым и очень естественным. Что выгоднее всего продавать? Дефицит. Какой был для прослойки главный дефицит при советском режиме? Информация. Какие сомнения?

К тому же атмосфера располагала. Во-первых, информация была первым товаром широкого потребления, допущенным на свободный рынок. Остальные подтянулись позднее. Во-вторых, впечатляли заоблачные тиражи толстых журналов. В-третьих, это римский народ, носитель языка эскулапов и ботаников, требовал от жизни и правительства хлеба и зрелищ. В русской же транскрипции эта формула жажды разволнованных масс звучит как "чуда и правды!". Народ, носитель языка святош и безбожников, всегда желал этих взаимоисключающих вещей. Причем в одном флаконе.

Спрос на чудо до парламентских и президентских выборов удовлетворяли дипломированные колдуны и экстрасенсы. Они исцеляли стадионы, воскрешали мертвых и, опередив рэкетиров, брали под свое покровительство новорожденных коммерсантов. Наш кооператив, например, опекал Сашка Брагин. Ворвался в подвал, который мы сняли после первой удачной сделки, мужичок с шальными глазами и заявил:

— Я — экстрасенс. Могу помочь во всем.

— Спасибо, не надо.

— Нет, надо, — возразил мужичок. — Вот сейчас что вы делаете?

— Пытаюсь дозвониться, но там занято.

— Положите трубку!

Я положила. Мужичок поводил над нею руками:

— Теперь звоните.

— Все равно занято.

— Занято? Значит, не получилось.

Рынок правды обслуживала периодика. И, казалось, чего проще? Добыл бумагу, оттиснул на ней чьи-то, а лучше свои, дерзкие мысли об устройстве мира полумиллионным тиражом, и утром проснулся богатым и знаменитым. Наш журнал назывался "Мы и компьютеры" и состоял в основном из интервью моего напарника с самим собой. Техническую часть процесса он по-джентльменски взвалил на меня. Помню, приехала в восемь утра на склад получать бумагу. На этих складах — особый ветер. Есть такие места в Москве, где в любую погоду сразу начинаешь мерзнуть. Через несколько часов я окончательно околела. Кто-то из рабочих сжалился и отвел в бытовку. В ней было душно, очень тепло и пахло мочой: половину бытовки занимали два сортира без дверей, и там бесперебойно мочились грузчики. Я села на приступочку и скоро, согревшись, притерпелась к запаху, к мужикам, расстегивающим штаны, задремала и дремала под журчание мочи до тех пор, пока с улицы не крикнули:

— Заказ такой-то. Грузите.

Наконец первый номер журнала был напечатан. Получала его опять я. И опять были складской двор, и стужа, и очередь из мужиков с грузовиками. За пятнадцать минут до обеденного перерыва объявили мой номер. Я встала возле дыры в стене. Внутрь заглянешь, а там — черный зев с железным языком конвейера, по которому плывут в пачках журналы. Они плыли пятнадцать минут. Плыли, плыли и встали. Я сунула голову в дыру:

— Алле, есть кто-нибудь?

Тишина.

— Алле, нам осталось немного. Включите, пожалуйста, конвейер!

Тишина.

— Ну, пожалуйста...

И тут зев разразился таким заковыристым матом, что меня снесло, точно ударной волной. Мне сказали все, что думают, и про меня, и про мои журналы, и про эту работу, и про эту страну. Очередь слушала с одобрением.

К чему я все это рассказываю? К тому, что до сих пор представляю две картины. Первая: Ирина Муцуовна в шотландке, в болгарской “лапше”, с лекциями под мышкой идет по коридору, вокруг вьются стайки студентов: “Ирина Муцуовна, а можно... Ирина Муцуовна, а разрешите... Ирина Муцуовна... Ирина Муцуовна”. И я царственно киваю направо и налево: “Да, можно... нет, не разрешаю...”. И вторая: холод, моча, подвал, мат, мадам с начесом, председатель Свердловского райисполкома, орет на меня в своем кабинете: “Жулье, сгною, всех сгною”... Но вот ведь какой парадокс: та, статусная Ирина Муцуовна, страдала от постоянного внутреннего унижения, а положение продрогшей, с головы до ног обматеренной кооператорши ничуть не травмировало чувство собственного достоинства. В человеке заложен сумасшедший потенциал. Он выдержит все что угодно, когда борется за свою независимость. Недавно на телевидении прокрутили фрагмент из какой-то программы о кооперативном движении тех лет: сижу в подвале, с еще доцентским пучком на голове, но уже оглашенная, романтическая, и декларирую: “Я — свободный человек! Я — свободный человек!”. Мы — не рабы. Рабы — не мы. Ощущение свободы и пьянило, и отрезвляло.

Выветрилось тупое честолюбие. Вымыть полы? Да без проблем. Потолковать с грузчиками? Да без проблем. В сто первый раз постучать в дверь, за которой тебе сто раз ответили “нет”? Да без проблем. Периодически надо было делать вид, что мы крутое предприятие. У моего напарника была малюсенькая, метров двадцать, конурка. Мне от отца осталась квартира побольше. И солидных клиентов принимали в ней. Напарник изображал, что это его квартира, а я изображала прислугу: фартук, подносы, чай, кофе, вытряхнуть пепельницы. Ну и что? Зато в прихожей стояли новые сапоги, а под окном — машина, и детей я теперь вывозила на юг, а не мучилась с горой матрасов и подушек в литовском поезде, потому что в Литве за наши копейки мы могли снять только холодные избушки без постельного белья и все приходилось везти с собой. Но главное, я впервые была хозяйка своей жизни.

Когда журналы никто не купил (они еще лет пять повсюду валялись), мой напарник согласился, что нас занесло куда-то не туда и надо срочно что-то придумывать. Поразмыслив, мы решили, что менять профиль кооператива непродуктивно. Мы научились покупать? Научились. Мы научились продавать? Научились. Из этого нужно сделать систему. Система называется биржа. Давай попробуем создать биржу? Давай попробуем создать биржу. Прочитали в учебнике, что биржа — это такая посредническая площадка, куда привозят товар и с помощью сложных процедур страхования происходит торговля. Товар должен быть однородным и продаваться лотами. Принцип ясен? Принцип ясен. Поехали? Поехали! Мой напарник договорился на телефонной станции, что меня посадят в зал и дадут на короткое время несколько номеров, после чего мы напечатали рекламу о том, что открывается биржа и по телефону мы соединим покупателя и продавца. И у них все будет в шоколаде. Я очень старалась, чтобы мой голос не оставлял у абонента сомнений — он позвонил в серьезную контору, где сидят серьезные ребята:

— Алле, руководство товарно-сырьевой биржи слушает. Что вы хотите продать?

— Стиральные машины "Малютка".

— Какая партия?

— Тысяча штук.

— Хорошо, мы найдем вам покупателя на всю партию. Оставьте ваши координаты, мы свяжемся с вами через три дня.

— Алле, руководство товарно-сырьевой биржи слушает. Что вы хотите продать?

— Девушка! У нас арбуз гниет! Два тонна гниет!

— Не волнуйтесь, мы обеспечим вам сбыт. Оставьте ваши координаты...

Теперь оставалась сущая ерунда — за три дня найти, кому сбыть товар. Я собрала всех своих знакомых кооператоров, торгующих кто чем на московских рынках, и сообщила им радостную новость, что отныне они не мелкие коммерсанты, а брокеры, и свою деятельность на новом перспективном поприще один начнет с немедленной покупки партии стиральных машин "Малютка", другой — арбузов, третий еще чего-то, но тоже очень выгодного. От своего очевидного счастья народ отбивался как мог. Я как могла убеждала. Смогла, убедила, купили, не прогадали. Конвейер заработал:

мы брали станцию на один час, потом переводили стрелки на кооператив, а там я уминала всех, кто попадался.

А потом дали объявление, что открывается акционерное общество “Биржа” и тот, кто вложит туда капитал, купив акции, будет иметь официальную площадку для финансовых операций. Это был авантюризм чистой воды. В Моссовете мне объяснили, что поскольку биржевая деятельность не включена в устав кооператива “С+П”, заниматься ею данный кооператив не имеет права. А если включить в устав? Тогда пожалуйста. А кто может включить? Постановление Политбюро и Совет министров. Но мы решили не беспокоить Политбюро и Совет министров такими пустяками и справились с проблемой собственными силами: напечатали и вклеили в устав нужный листочек. Нарисовали акции. Арендовали на два часа здание Политехнического музея — ну не в подвале же проводить собрание акционеров! Десять лет спустя одна из газет писала: “...читая откровения Ирины Хакамады о создании РТСБ, невольно вспоминаешь историю Мавроди, владельцев банка “Чара” и некоторых других аферистов, сколотивших миллиардные состояния в короткий срок и едва ли не из воздуха”. Да, блефовали мы напропалую. Но, в отличие от Мавроди и Францевой, наши истинная цель совпадала с заявленной: мы действительно хотели создать первую в стране легальную биржу цивилизованного образца, с помощью которой не только мы, но и наши акционеры будут зарабатывать реальные деньги. И мы ее создали!

2 апреля 1989 года в Политехнический музей пришли немного людей. Они и стали ключевой командой биржи, а биржа очень скоро стала серьезным предприятием: ее ежедневный оборот составлял сорок миллионов рублей. Мы вели переговоры с молодым правительством, объясняли, что нужно серьезное биржевое законодательство, кормили обедами молодых Шохиных, Гайдаров и Чубайсов. На нашей площадке болталась половина нынешнего российского бизнеса. Из биржи выросли независимое телевидение, первый российский коммерческий банк, первая инвестиционная компания, Агентство экономических новостей, институт коммерческой инженерии и много чего еще. Все вместе выглядело довольно масштабно и довольно прочно. До 19 августа 1991 года. Трех дней путча хватило, чтобы понять то, что до этого мы тоже понимали, но теоретически: без политики прожить не получится. Хотелось бы, но не получится. Через два года я занимала свое место в зале заседаний российского парламента.

Тема третья: *Шабашники*

— Были бы вы, Ирина Муцуовна, мужчиной... желательно с низким голосом, — задумчиво произнес политтехнолог и окинул меня лабораторным взглядом. Я согласилась: да, без сомнения, мужчина, да еще и с низким голосом — это круто. Но с политтехнологом распрощалась. Иначе не заметишь, как из Хакамады превратишься в какого-нибудь Александра Белова, синеглазого парня с предвыборной пулей в перебинтованной голове. И это еще гуманный вариант. Во время президентской кампании, например, мне предложили инсценировать похищение мужа и ребенка:

— Представляете? Пресса шумит, народ сочувствует, в эфире крутится ролик: "Меня ничто не остановит, я буду бороться до конца", — говорите вы, и одинокая слеза катится по непреклонному лицу крупным планом. Соперники вынуждены оправдываться. Им, естественно, не верят. Их рейтинг падает — ваш взлетает.

Рынок политтехнологии в России очень непрозрачный и очень непрофессиональный. Он рассчитан на лоха, который в механизмах продвижения ничего не понимает, никому не нужен, но очень хочет попасть. Вот тут-то на него все и наваливаются. Главное, чтобы у лоха водились деньги. Великий комбинатор был прав — есть много способов честного отъема денег у населения. Политтехнология отечественного производства — один из них. Как вы полагаете, сколько может стоить двухдневная поездка кандидата в президенты с командой из четырех человек в Санкт-Петербург? Мои шабашники нарисовали смету в 150 тысяч долларов, где напротив пяти авиабилетов стояла сумма в 10 тысяч долларов, суточное пребывание в гостинице оценивалось все в те же 10 тысяч, за аренду актового зала на полтора часа мне предлагалось выложить 25 тысяч, остальные затраты выглядели примерно так же убедительно. Я поинтересовалась: они собираются нанять для перелета частный "Боинг", поселить меня в Петродворце и провести встречу с избирателями в тронном зале Эрмитажа? Торг оказался уместен. В итоге сумма уменьшилась в пять раз. Думаете, кто-то смутился? Ничуть. Думаете, первоначальная смета следующего мероприятия была менее фантастичной? Как бы не так. Своего клиента эти ребята презирают. Он для них что-то вроде недоумка, которого они учат прикидываться нормальным человеком. В плане самопиара позиция идеальная. В случае победы все лавры их: "Только с нашей помощью такой козел сумел выиграть". В случае поражения слоган "Из такого козла даже мы ничего не смогли сделать" тоже звучит неплохо.

Лихие политтехнологи-интеллектуалы, способные распутывать и закручивать макиавеллиевские интриги, совершать дворцовые перевороты, под чьим руководством кто был никем, внезапно становится всем, обитают там же, где и отважные сыщицы-дилетантки, неподкупные менты и бандиты-тимуровцы, которые по пути на кровавую стрелку притормозят, чтобы лично защитить старушку с укропом от хулиганов. Они обитают на книжных лотках и в телевизионных сериалах. В реальности — это в лучшем случае умелые имитаторы, изображающие кипучую деятельность: волосы всегда дыбом, глаза всегда выпучены, гроздья мобильников свисают отовсюду, как связки гранат. Сейчас выпрямится на краю окопа и остановит вражескую танковую колонну. На самом деле никто никакую колонну останавливать не собирается. Какие танки? Клиента — пожалуйста. Его засунут куда угодно и подо что угодно. Естественно, после оплаты. Сами же политтехнологи боятся толпы, об электорате в форме народа имеют смутное представление — где-то на уровне "водка, драка, балалайка".

С бубном и гитарой

В Америке я попала на встречу Гора с избирателями в супермаркете. Шарики, дудочки, заводная музыка. Толпа, ритмично подергиваясь, ждет кандидата. Вместо него выскочила задорная черная женщина и заплясала у микрофона: мы сегодня встретимся... с кем мы сегодня встретимся? ...мы встретимся с самым лучшим, самым красивым мужчиной страны! Кто это? Это наш, это наш... Йес! Йес! Это наш Гор! Потом были энергичный рэпер, загорелый ковбой, пожилая тетка в шортах. Выходили и выходили, подогревали и подогревали. Через час публика уже дымилась. А где же Снегурочка? Сне-гу-ро-чка! Сне-гу-ро-чка! И тут появился Гор. В гробовой тишине достал из пиджака бумагу и минут пятнадцать читал нуднейший текст. Прочитал, шпаргалку сложил, сунул в пиджак и, впервые подняв глаза, отпустил заготовленную шутку. Крики, вопли, экстаз... Элементарный прием — не выставлять на встрече с аудиторией сразу лидера. А какой эффект! Но воспользоваться им в своих избирательных кампаниях мне не удалось ни разу. Наши специалисты по обольщению и приручению народных масс цепенеют при виде этих масс в натуральную величину. На трибуну никого не вытолкнуть. Даже за отдельное вознаграждение.

Зато они обожают устраивать гала-концерты на стадионах. Милое дело! И смета не детская, и над ними не каплет — музыканты играют, трибуны ревут. Кандидаты в паузах между хитами скандируют в микрофон свои лозунги и чувствуют себя то ли поп-звездами, то ли ранними христианами, то ли чилийскими диктаторами. Не знаю. Лично я чувствовала себя набитой дурой, и мой самодиагноз подтвердился, когда на очередном концерте меня попросили исполнить "Йестедей". Спасибо, хоть не "Мурку". Видимо, спутали с Йоко Оно. Я понимаю. Кем еще может быть женщина с японской внешностью, окруженная рок-музыкантами? Интересно, а чтобы попросили спеть, например, Астраханкину? Наверное, "Ой мороз, мороз".

Так что пока политтехнологи домашнего разлива годятся на роль массовиков-затейников, которых отчего бы и не нанять, если есть лишние деньги, если все схвачено, беспокоиться не о чем и надо для приличия создать видимость предвыборной борьбы, а заодно весело провести время. Но и тут лучше воспользоваться услугами промоутеров иностранных фирм. По части организации досуга им нет равных. Оторветесь по полной.

Недавно меня пригласили на рекламную тусовку по поводу открытия элитного супермаркета. Главное блюдо праздничного меню — известные дамы, наряженные в свадебные платья "от кутюр" или из собственных сундуков. То есть, по замыслу организаторов, телеведущие, актрисы, примы эстрады и оппозиционный политик Ирина Хакамада должны были изображать из себя невест на фоне сыров и колбас. И никого не смущало, что самой юной невесте, скажем так, слегка за тридцать и остальные тоже... хорошо сохранились. Тем более никого не смущало, что наш потребитель, с его черным юмором, скорее всего расшифрует эту брачно-гастрономическую инсталляцию как намек на то, что и продукты в презентуемом магазине такие же свежие и качественные. Я не хочу обижать наших гламурных эльфов. Они — лапки. Живут себе в своем параллельном мире, никого не трогают, в политику не лезут, потихоньку ощипывают иностранные бюджеты. Я даже готова снять перед ними шляпу — мало кому сегодня в России удается быть свободным, обеспеченным и при этом не продаться ни администрации, ни чиновнику, ни милиционеру.

Кто там в малиновом берете?

Ни один политтехнолог не объяснил мне, как надо одеваться. Были советы, но бредовые, вроде той же оторванной пуговицы. Они натасканы на мужчин с разным тембром голоса, чей рейтинг не колеблется от фасона брюк, потому что он у всех у них одинаковый. Воротничок чистый? Носки приблизительно одной расцветки? Галстук не на боку? И довольно. Если Чубайса нарядить в пиджаки Жириновского, а Явлинского — в костюмы Путина и наоборот, никто бы этого карнавала и не заметил. А представьте Любовь Слиску, облаченную в хламиды Валерии Новодворской, или Валерию Новодворскую, втиснутую в партийный мундир российской чиновницы? Или Валентину Матвиенко, переодетую в Ирину Хакамаду? Такую Матвиенко собственная охрана могла бы и не пустить в родную мэрию. Ирина Хакамада в гипюровых блузках с воланами и юбках годе перестала бы быть Ириной Хакамадой. Мужчина — это голова и манеры, все остальное более или менее удачное дополнение к ним. Женщина — это целостный образ, в создании которого одежде принадлежит львиная доля. Сколько снято фильмов, поставлено пьес, написано книг, вся интрига которых держится на том, что героиня только благодаря переодеванию становится неузнаваемой, превращается из дурнушки в красотку, из уличной проститутки — в респектабельную леди, из бесполой мегеры — в сексапильную прогрессивную начальницу, и что-то я не припомню ничего с зеркальным сюжетом.

В прошлом году мы отдыхали за границей двумя супружескими парами. Я ненавижу чемоданы. На отдых снаряжаюсь по-спартански: джинсы, майка, кепка. Подруга взяла с собой полный гардероб. Она переодевалась чаще, чем манекенщицы на показе, и мой муж с ней флиртовал. Сутки я побравировала: я в джинсах, и мне плевать, что в очередное пафосное заведение всех пропустили, а меня нет. Ну и ладно. Ну и пожалуйста. Не очень-то и хотелось. В два ночи я проснулась одна в гостиничном номере. Мужа нет. Вихрем в голове пронеслось: все, надоело, я не на помойке нашлась, я, между прочим, самая известная женщина в России, я очень умная, у меня неплохая фигура, и поэтому я разведусь. С этой теплой мыслью я и заснула. Утром объявила мужу, что, поскольку у меня нет ни такой фигуры, ни таких туалетов, как у подруги, нам с ним лучше расстаться. Он начал дико хохотать, а отхохотав, сообщил, что безумно меня любит, и что сейчас мы берем такси и едем в лучший магазин, и покупаем мне все на свете. И поехали, и купили. Я поменяла пять нарядов в течение дня. За ужином на меня смотрел весь ресторан. Сиротинский за мной ухаживал. Наливал шампанского...

Так вот, возвращаясь к моде в свете политтехнологий. На парламентских выборах партия вытолкнула меня на дебаты с Екатериной Лаховой. Я против дебатов женщины с женщиной. Они всегда выглядят, как склока на коммунальной кухне. Но отказаться — потерять бесплатный эфир. Я отлично представляла, что будет говорить Екатерина, что буду отвечать я, поэтому основным и единственным вопросом подготовки к дебатам был вопрос: во что одеться? Политтехнологи настаивали на ярко-голубом пиджаке, потому что "голубой цвет — это символ доброты и надежды" или коричневом шерстяном платье, потому что "коричневый — это цвет земли, и у зрителя возникнет ассоциация с Деметрой, богиней земли и плодородия". Я же надела белую рубашку и повязала черный галстук. И не промахнулась. Екатерина была в кофточке, в юбочке, на шпильках, вся такая женщина, женщина, женщина. После программы огромное количество людей сказали мне: твои рубашка с галстуком были красноречивее всех рассуждений — сразу возникли два контрастных образа. Женщины-политика, которая занимается только гендерными проблемами, и женщины-политика, которая претендует на все.

Клиент всегда не прав

Я не вредничаю. Просто мне есть с чем сравнивать. Во время президентской кампании у меня был визит в США. Америка с ее культом политкорректности фанатеет от маргиналов всех сортов. Страна, где президентом станет вич-инфицированный инвалид детства, нетитульной расцветки, нетитульного пола и нетрадиционной сексуальной ориентации, тут же покорит ее сердце. Едва в России возник кандидат — стопроцентный маргинал: азиатские корни, европейский имидж и вдобавок баба, американцам загорелось немедленно залучить к себе эдакое чудо в перьях. Познакомиться, рассмотреть, порадоваться — раз такое в России возможно, страна не безнадежна. В глобальном мире быть женщиной выгодно. Пол — уже мощный дармовой пиар. Там, в условиях жесткой конкуренции, чтобы обратить на себя внимание, мужчина-политик должен потратить огромные деньги. Женщина-политик привлечет внимание даже без всяких специальных усилий и телодвижений с ее стороны: что редко, то ценно. Меня пригласили, я поколебалась-поколебалась и поехала, прямо в середине предвыборного марафона. В Америке меня тут же взялась опекать команда местных политтехнологов. Не мальчики и девочки с багажом из амбиций и с единственным стимулом обеспечить красивую жизнь для себя, любимых, а седые дядьки с умными лицами. Бывшие конгрессмены, бывшие члены госдепа с огромными связями, сумасшедшим опытом политической борьбы, поскольку сами в свое время были в партиях, которые то проигрывали, то побеждали. Они сели вокруг меня и задали первый вопрос:

— Главный мессидж вашей кампании?

— Я иду в президенты не для того, чтобы стать президентом. В России нет независимых институтов. Чтобы заставить власть считаться с народом, нужна сила. Она возникает, когда голоса поданы не за президента, а за другого кандидата. Я иду на выборы, чтобы президент услышал тех, кто недоволен нынешней политикой. Голосуйте за Хакамаду не ради Хакамады, а ради самих себя. Голосуйте за Хакамаду, чтобы власть услышала вас.

— Класс, — сказали мне после секундного размышления седые дядьки, — никаких советов. Все правильно.

Следующий пункт. С вами пожелали встретиться конгрессмены, занимающиеся проблемами России, чтобы услышать ваше мнение об этих проблемах, и Кондолиза Райс, потому что вы ей интересны. "Как маргиналка маргиналке", — мысленно добавила я. С конгрессменами вы встретитесь на обсуждении членства России в "восьмерке". Кондолиза Райс не имеет права принимать неофициальных лиц. Но вас примет один из секретарей, а Кондолиза будет идти мимо пить чай и заглянет на огонек.

За два дня визита мы переделали уйму дел. Все чудесным образом срасталось. И Кондолиза Райс ненароком заворачивала в нужный кабинет в нужное время, и имена бесконечной вереницы своих сановных собеседников я произносила без запинки, потому что информацию о каждом (как зовут, с кем связан, чем интересуется) в меня загружали ровно за десять минут до знакомства, и на телеэкране я выглядела бодрой и раскованной, потому что мне давали выспаться, а главное, непрерывно хвалили: вы — великолепны, вы ведете себя идеально, вам не нужны никакие политтехнологи! И я верила, что так оно и есть, и все у меня, умницы-разумницы, получится. Не визит, а курс интенсивной психотерапии по повышению самооценки и активизации внутренних резервов. Представляю, какой же это, наверное, кайф — баллотироваться в президенты Америки!

У наших политлохотронщиков клиент всегда не прав, все его личные предложения и проекты заведомо несостоятельны, потому что дееспособный клиент — малобюджетный клиент: "Я иду в президенты не для того, чтобы стать президентом"? Вы шутите? Это же не мессидж! Это самоубийство! Но вам повезло — мы вас спасем. Считайте, мы вас уже спасли. Мы сделаем из вас популярного политика. Для начала пришьем вам плохо пуговицу. Она оторвется прямо на трибуне, кофточка распахнется, вы смутитесь, народ поймет, что перед ним свой парень, то есть своя девка... ну не важно кто, важно, что вам поверят. Вот полная версия успешной кампании: за эту строчку — сто долларов, за эту страничку — тысячу долларов, все вместе — полмиллиона долларов. Кстати, вы не могли бы получить согласие Кремля на вашу, обеспеченную нами, победу в 15% голосующих?".

Честное слово, так и спросили: "...не могли бы получить согласие Кремля?". Что ответить? Конечно, могла бы. Хоть устное, хоть письменное, хоть заверенное у нотариуса, хоть по старинке подписанное кровью. Но не хочу. Исключительно из-за дурного характера. Мне нравится, что там, в Кремле, ночей не спят, томятся, тоскуют, у окошка караулят: “Где же Ирина свет Муцуовна? Почему не едет за согласием?”...

В первый же вечер по возвращении в Россию меня повезли на встречу с избирателями. Обычно я страхуюсь. Посылаю вперед своего пресс-секретаря, и он докладывает обстановку. Если народу мало, на полпути разворачиваю машину: пустые аудитории политику противопоказаны. А тут, после Америки, как-то расслабилась. В зале на пятьсот мест скучали пять человек. Мои профи опять забыли расклеить объявления. А те, что не забыли, расклеили в другом районе, на противоположном конце Москвы... На Западе есть школа политтехнологии, которой сто лет. Там есть такая профессия. У нас ее пока нет. Она жареная. Я не осуждаю этих ребят. Они ловко сочинили себе рынок и ловко оперируют на нем деньгами. Не о том печаль.

Былое и Дума

Теперь, когда выборы все больше и больше походят на первомайскую демонстрацию — колонны, оцепление, кивки с мавзолея, “ура, товарищи!”, кампании начала девяностых прокручиваются в памяти, словно старое советское кино: “Весна на Заречной улице” или “Начало” — все трогательно и нереально. Романтический период российской демократии. Ни липовых концепций по цене подводной лодки, ни черного пиара, ни бронированных дверей в подъездах. Еще не нужно кланяться префектам, золотить ручку прессе. В 1993 году весь мой предвыборный штаб в Орехово-Борисове состоял из пяти энтузиастов, которые нервные игры политиков ухитрились превратить в непрерывный капустник, в спектакль студенческого театра миниатюр на свежем воздухе. То они братаются с персоналом и пациентами психбольниц, провоцируя журналистов на ехидную реплику, что у коренного населения палаты № 6 Ирина Хакамада занимает третью позицию после Наполеона и китайского императора. То они накачиваются пивом в маргинальных забегаловках под моим лучезарным изображением и громко убеждают друг друга голосовать за эту тетку с плаката: "...классная тетка-то и, видать, горячая — на улице мороз, а она в летнем сарафанчике". То они заставляют меня отстоять очереди во всех орехово-борисовских гастрономах: "Ой, смотри-ка, наш кандидат яйца покупает! Как ее? Харакири? Не-а... Матахари? Не-а... Камасутра? Не-а... Во, вспомнил! Хакамада!". Я тогда забила холодильник на месяц вперед. Муж был потрясен.

А какие у меня были агитаторы! Район Печатники — столичная глухомань. Пурга, метель метет во все концы, во все пределы, автобусы не ходят, метро еще нет, и вдруг на пороге — два божьих одуванчика, платочки накрест, как у блокадников, ватники, валенки, саночки. Где тут литература? Какая литература? Ну листовочки про тебя. Давай листовочки на саночки. Погрузили и повезли.

В 1995-м саночки исчезли и появился административный ресурс. Знаю, потому что сама им воспользовалась. Моей партии "Общее дело" отказали в регистрации. Я узнала об этом случайно: Лобков, тогда журналист НТВ, во время съемок в избирательной комиссии навел объектив камеры на протокол на столе и прочел перевернутый текст. Формальный повод — недопустимый процент сомнительных подписей. Это был удар в спину! Я намывала свои голоса, словно золотые крупицы, по всему Уралу и Дальнему Востоку и гордилась тем, что добыла их в полтора раза больше регистрационной нормы.

До оглашения приговора оставалась ночь. Все как тогда, десять лет назад, когда накануне защиты диссертации мне позвонили и объявили об отмене защиты. Из-за бюрократической ерунды, из-за недобросовестности какой-то канцелярской девчонки. Десять лет я карабкалась на этот советский пьедестал, преодолела все и в конце этого безумного марафона вместо стакана воды мне протянули стакан соли. Я была на грани безумия, я каталась по полу и выла: я больше не могу, я больше не могу, я больше не могу! Спас меня муж. Взял такси, методично объехал всех членов ВАК, и один из них, профессор Радаев, принял решение, что защита состоится. Защита состоялась. Я получила доцентскую книжечку. Она валяется вместе с остальными моими дипломами где-то в ящиках стола. А заработанная тогда щитовидка осталась со мной навсегда.

На этот раз мотаться ради меня по ночной столице было некому. Пришлось справляться самой. Рюмка валерьянки, телефон, записная книжка. Первый звонок Никите Масленникову, советнику Черномырдина и другу моего второго мужа:

— Ты помнишь, Никита? Сырный салат, жареный хлеб, матерные частушки, мама закрывала плотно дверь? Никита, я подписи с кровью собирала...

Второй — Шахновскому. Он работал с Лужковым:

— Не стреляйте, братцы! Я же для вас два года выбивала финансы на московское метро...

Потом еще кому-то, еще кому-то, еще кому-то. Вырубилась с трубкой под ухом. В восемь утра трубка ожила и приказала: через час быть в избирательной комиссии. Не помню, как собиралась, не помню, на чем долетела. Может, на машине. Может, на метле. Но минута в минуту приземлилась в кабинете председателя избиркома Рябова. Вся в черном, вся в длинном, со скорбным лицом. На полу — большой ковер, там, вдали, за ковром — массивный стол, за столом — Рябов:

— Ну чего, Ирина? Никак не уймешься? Сколько ж у тебя знакомых-то оказалось! Все по ресторанчикам с ними шляешься, все юбкой перед ними крутишь?

Возникла радостная идея грохнуть поганца. Но внутренний голос с восточным акцентом шепнул: партию хочешь? Терпи. Без терпения пути не одолеть. А еще вспомнила битком набитый актовый зал школы. Предвыборная встреча с общественностью. Все как обычно — крики, вопли, провокационные вопросы. Отвечаю, возражаю, соглашаюсь, спорю, а взглядом то и дело цепляюсь за старика. Он сидит сбоку, у двери, на самом сквозняке. Палка с набалдашником, руки на палке, подбородок на руках. Белые волосы, голубые глаза, тонкое иконописное лицо. Не старик, а старец. От этого, думаю, я и получу. Сейчас он встанет, и мне хана: уничтожит, испепелит. Такой, что бы ни изрек, завоюет публику тут же. Одна внешность чего стоит! Николай-угодник, заступник святой Руси.

Не встал, не испепелил. Встреча закончилась. Зал опустел. Старец сидит.

— Вам помочь?

— Не надо. Я вот о чем хочу попросить. Вы поторопитесь. Вы стройте свою демократию побыстрее. Пожалуйста. Я вас очень прошу. Попытайтесь побыстрее. Хоть глазком на нее посмотреть. Спасибо.

Поднялся и ушел. А я широко улыбнулась Рябову:

— Я и с вами, Николай Тимофеевич, в ресторанчик могу сходить.

— Прием закончен. Свободна.

В десять началось заседание избирательной комиссии. Мою маленькую партию утверждали первой. Рябов произнес сорокаминутную речь. При иных обстоятельствах она бы меня восхитила. Высокий образец казуистики. Все слова вроде русские, а смысл неуловим и темен. То ли категорическое “да”, то ли категорическое “нет”. Говорит — и возникает надежда. Говорит — и она умирает. Когда сердце и печенка слиплись в ком, Рябов сделал финальную паузу и произнес:

— Ну что, будем голосовать? Ну, хочется ей, Ирине нашей, пусть идет?

Уловив кодовое “пусть идет”, комиссия дисциплинированно проголосовала за регистрацию партии “Общее дело”. Вот тебе, бабушка, и вся политтехнология.

Домашнее задание

Тест № 1.

Политтехнологи предлагают вам замечательную акцию — искупаться на Крещение в проруби, продемонстрировав своим избирателям храбрость, здоровье и религиозность.

1. Какой на вас должен быть купальник: а) закрытый; б) раздельный; в) топлес.
2. Где вы будете раздеваться: а) в машине; б) на виду у зрителей и прессы; в) за специальной ширмой, оклеенной вашей символикой.
3. Какой на вас будет крестик: а) золотой; б) серебряный; в) железный на простом шнурке.
4. До проруби вы пойдете: а) босиком; б) в сапогах на шпильке; в) в сланцах; г) вас отнесет на руках лидер фракции, братья Кличко, Сергей Шойгу, Степан Тимофеевич Разин.
5. Как вы попадете в воду: а) нырнете солдатиком; б) спуститесь по заранее приготовленной лесенке; в) сядете на край полыньи, перекреститесь и медленно соскользнете.
6. После купания: а) опрокинете стопку и поделитесь впечатлениями с прессой; б) закутаетесь в полотенце и нырнете в машину.

Посчитайте ваши очки:

считать нечего, потому что единственное правильное решение — это послать к черту и политтехнологов, и их “замечательную” акцию. Женщине, делающей политическую карьеру, категорически заказано появляться перед теле- и фотокамерами в неглиже, в купальнике, в чем мама родила. Ну хотя бы потому, что рядом как бы невзначай могут поместить снимок юной ослепительной топ-модели или нарисовать кружочек со стрелочкой где-нибудь в районе бедра и проинформировать читателя о вашей безуспешной борьбе с целлюлитом, как и поступила одна из желтых газет с принцессой Дианой, подкарауленной папарацци всего лишь на теннисном корте.

Тест № 2.

Искусство обмана заключается в соблюдении пропорции между правдой и ложью. Пять капель на стакан. Тогда ложь легко проглатывается и хорошо усваивается. Политик должен уметь адсорбировать реальность от вымысла, чтобы выявить мотив и источник. Сейчас я расскажу несколько историй. Попробуйте угадать, что в них правда, а что — выдумка.

История первая:

в 2005 году ко мне пришел молодой человек и предложил нанять его... на должность моего официального врага:

— Я и мои люди будем обливать вас сметаной, швырять в вас яйца. Мы будем пикетировать ваш офис, клеветать на вас в прессе, облаивать ваши выступления. Я создам вокруг вас ауру политика, с которым постоянно борются. А за

это вы будете финансировать меня и мою партию.
Я отказалась, объяснив молодому человеку, что такого рода пиар имею бесплатно в промышленном объеме. Он не расстроился:
— Не хотите платить, не надо. Я все равно буду делать то, что собирался. Моей партии нужно набирать очки, а у нас в стране быстрее всего их можно заработать, разоблачая и натравливая.
Это был лидер движения "Наши"
(в просторечье нашисты).

История вторая:

мне вручали премию "Самый стильный российский политик". До последней секунды я не верила, что награждение состоится. Конкурс проводился в интернете, в финал вышли пятеро: Владимир Путин, Ирина Хакамада, Касьянов и еще кто-то. Победила я. Такое возможно. Но чтобы победа была зачтена и обнародована — этого не может быть, потому что не может быть никогда. Никому и ни в чем не позволено превзойти президента. Но награждение состоялось. Ольга Свиблова, директор Дома фотографии, зачитала телеграмму от президента, в которой он поздравлял себя с такой прекрасной во всех смыслах оппозицией, вручила мне диплом, какую-то финтифлюшку и личный подарок ВВП — пиджак от обожаемой мной Елены Мокашовой из дикого льна, с нитками, карманами. Я его тут же надела, и он сел как влитой!

История третья:

вся наша верхушка невероятно суеверна и религиозна. У русского чиновника — прагматично мистическая душа. Он истово молится в церкви не чтобы попасть в рай, а чтобы было поменьше неприятностей. Чем больше грешат, тем больше хочется отбиться: авось Господь простит, спасет и поможет. Вокруг каждого крупного чиновника и политика вьются тучи астрологов и экстрасенсов. Они толкуют сны, приметы, рисуют гороскопы, советуют, когда выступать, когда лететь, когда короноваться. Их клиенты верят и в чох, и в брех, и в вороний грай. Накануне выборов 1999 года Немцов и Чубайс уговорили меня объединиться. До этого я была независимым депутатом. Назначили съезд, на котором должны были объявить, что я и моя маленькая партия “Общее дело” вливаемся в блок правых. На съезде я никак не могла понять: в чем дело? Народ какой-то напряженный и напуганный. Смотрят на меня, а в глазах прячется страх. Я так зловеще выгляжу или случилось что-то, о чем мне забыли сообщить? Потом оказалось, что просто было тринадцатое число, пятница и вдобавок полнолуние, и все дружно решили, что это дурной знак, ничем хорошим объединение не кончится, СПС выборы проиграет.

СПС выборы выиграл.

История четвертая:
в закрытом бассейне для кремлевского спецконтингента через неделю после его открытия повесили объявление: “Уважаемые посетители, просим вас перед плаванием принимать душ”. Еще через неделю рядом с первым объявлением появилось второе: “Уважаемые посетители, пожалуйста, не вытирайте полотенцами обувь”. Третье объявление было самым коротким: “Туалет рядом с душем!!!”.

Правильные ответы:

1. Это был не лидер нашистов. Но ведь как похоже! Остальное все правда.
2. Объявить победителя в коминации “Самый стильный политик” действительно должна была Ольга Свиблова. И конвертик она в руках уже держала, и до сцены почти дошла. На минутку замешкалась, чтобы посоветоваться: если она поздравит народ с единственными выборами, на которых президент может проиграть, это будет нормально? Ненормально, ответили ей. Про народ и про выборы забудь, а конвертик — отдай. И всучили другой конверт: с самой стильной актрисой года.
3. Все правда.
4. Увы, увы... В том смысле, что и это тоже чистая правда.

Тест № 3.

На чем нельзя экономить во время предвыборной кампании?

1. На агитплакатах и листовках.
2. На прессе и телевидении.
3. На разведке.
4. На публичных мероприятиях.

Правильный ответ:

безусловно, на разведке. Ею надо заниматься на протяжении всей кампании. Чтобы в последний день на вас не вылили ушат чернухи, на которую вы не успеете ответить. Пройдут по улице маршем проститутки или секс-меньшинства: “Мы, гомосексуалисты и лесбиянки, голосуем за кандидата такого-то. Кандидат такой-то — наш кандидат”. Ясно, что подстава. Но огромное количество народа теряли голоса. Люди не фильтруют. В хорошее верят с трудом, в дурное верят сразу и с удовольствием. Для них, благодаря усилиям прессы, чернуха — норма жизни тех, кто стремится во власть. Нет дыма без огня. И здесь все зависит от времени: кто последним мазнет. Чтобы соперник не успел отбиться. Главный козырь держится в рукаве до вечера пятницы. Любые меры бесполезны. Спасает только разведка. Или жадность тех, кто работает на конкурента. Когда я избиралась в Санкт-Петербурге, было напечатано бешеное количество безобразных листовок обо мне.

Те ребята, которые должны были их раздать, решили заработать побольше. Они предложили нам перекупить тираж. Вместо этого мы подали в суд. Провокация была сорвана. А могла бы состояться и прошла бы на ура.

Упражнение на воспитание силы воли

Откройте дверцы гардероба, выдвиньте все ящики и сверьтесь со списком. Есть ли среди ваших вещей:

1. Юбка выше колен на 15 см.
2. Ажурные чулки и колготки.
3. Розовый или желтый пиджак.
4. Обувь, которая обтягивает косточку.
5. Обувь на шпильке.
6. Блузки-кофточки с люрексом, стразами, рюшками.
7. Юбка-годе (если ваш рост ниже 170 или размер больше 46-го).

Сложите все, что обнаружили, в пакет и навсегда оставьте возле ближайшего мусорного контейнера.

Тема четвертая: *Мастер-класс*

Бедный Йорик

мастер-класс от Владимира Жириновского

Благодаря Владимиру Вольфовичу я открыла эффективное, как "Раптор", и почти универсальное средство нейтрализации мужчин-политиков. В 93-м году мы оказались в составе российской делегации в Финляндии. Россия вела переговоры с Советом Европы о своем членстве в совете. Финляндия взяла на себя роль посредника. Во время приема в российском посольстве я закурила. Жириновский тут же взвился:

— Запретите Хакамаде курить. И вообще, кто она такая? Это депутат-бомж. У нее нет фракции, у нее ничего нет, а она еще и курит.

После чего я дым стала пускать ровно Жириновскому в лицо и не позволила засуетившемуся мидовцу убрать пепельницу. По пути в финское посольство Жириновский опять завелся: “Депутат-бомж, и пальтишко бедненькое, и побрякушки копеечные, вот пришла бы к нам во фракцию — мы бы тебе шубу подарили, бриллиантов навешали, была бы сытая, богатая. А, Хакамада?”. В посольстве, заглушая журчание светской речи, затоковал по-новой:

— Хакамада, а Хакамада, кончай бомжевать...

Финны ничего не понимают. О чем это он? Вроде вопрос — вхождение России в Совет Европы, а не Хакамады в ЛДПР. И тут я не выдержала:

— Слышь, Вольфович (по-цэковски перейдя на “ты”), ну сколько можно дергать меня за косички? Скажи сразу, что влюбился.

И Жириновский дематериализовался. Я удивленно покрутила головой: исчез! Приемчик запомнила. Опробовала на других — работает! Стоит большинству наших мужчин-политиков, когда они цепляются к тебе за кулисами не по делу, разок зазывно по-женски подмигнуть — они кончают базар и скрываются в кустах.

А еще Жириновский — уникальное зеркало темных сторон народной души. Он отражает и озвучивает самые низкие побуждения и мысли толпы. Четко раздает водку и деньги. Нам “фу!”, а ему плевать. Знает: стольник дай — и тебя полюбят, и будут любить вечно, если кто-то не даст двести. Но он устал от самого себя. Усталость выдают глаза. Они мертвые, и впечатление, что в нужный момент кто-то нажимает кнопку на дистанционном пульте и внутри включается магнитофон. Второе отрицательное последствие этого бесконечного паясничанья — Владимир Вольфович никогда не будет в основном составе. Он обрек себя на маргинальность. Когда идет серьезная игра — ему в ней нет места. Большими чиновниками назначают сбалансированных людей. Поэтому есть популярность — нет результата. Жириновский от этого страдает. Он хотел быть и вице-премьером, и премьером. Никто не позволил, никто не предложил.

Однажды Жириновскому почти удалось меня растрогать. Я даже засомневалась — может, не все там так безнадежно? Во время однодневной поездки в Японию ему приглянулись очки, а взятой налички не хватило. Никто в долг не дал. Я дала, он купил и, сияя, демонстрировал мне, как они и складываются, и раскладываются, и какие удобные. Дите...

Парфюм для самодержца

мастер-класс от Путина и Ельцина

Позаимствовать хоть что-то у ВВП мне не удается. Слишком мы разные, и то, что он мужчина, а я женщина — самое незначительное из наших различий. Хотя нет, вру. Я заметила, что на коллективных встречах кто б какую чепуху ни нес, и с Дона и с моря, — ну полный бред! — Путин дисциплинированно конспектирует. Точно мальчик за великими дядями. У дядей сразу сметает крышу от собственного величия. Дяди думают: он меня уважает! Я по преподавательскому опыту знаю, что записывать — очень важно. Когда студенты за мной записывали — мне это льстило. Я решила: буду тоже изображать из себя отличницу. Завела специальный блокнотик. Начала с послания президента. Когда Владимир Владимирович его читал, я была единственная в зале, которая все записывала. Все сидят, а Хакамада строчит. Настрочила треть блокнота и, очень довольная собой, закрыла его, чтобы больше никогда не открывать.

Если бы я была статусной единицей, я бы переняла у ВВП отсутствие трепета к соблюдению протокола в отношении к собственной персоне. Помню, на одном приеме мне позарез нужно было перекинуться с президентом парой фраз. Но выстаивать очередь, как за финскими сапогами в советском ГУМе, мне не хотелось. Дождалась, когда он уже направился к выходу, и окликнула. По правилам я должна была обежать — трtrtр! — весь зал и оказаться перед ним на дорожке:

— Здравствуйте, Владимир Владимирович!

А не окликать.

Президент замер. В старых фильмах так замирал от предательского выстрела в спину главный герой. Потом медленно оборачивался, удивленно и укоризненно смотрел в камеру и падал на сырую землю. Путин тоже медленно обернулся, но не упал, а подошел. Это неплохо. Так же, как и умение отзеркаливать собеседника. И под обаяние этих приемов попадает бешеное количество народу. Каждый, расставаясь с президентом, уверен, что президент — душка, согласен с ним на все сто. А потом начинаются странные события. Но это потом, позже.

На инаугурации я смотрела на ВВП и думала, как же ему, бедному, тяжело. Эта имитация вхождения на престол, эта коронационная дорожка, а двигается по ней обыкновенный человек, который не воспитывался как царь и не был даже политиком. Он же не Никита Михалков, который сел на коня и поскакал, весь из себя Александр Третий. Наверняка ему намного легче было вести заседание правительства, чем пройти эти несчастные метры по этой несчастной дорожке под грохот имперской музыки. И чувствовать, как люди втягивают ноздрями воздух: идет от тебя запах власти или нет. От Путина он не шел.

С Ельциным не требовалось напрягать обоняние, чтобы уловить не запах — могучий монарший дух, шедший от него. Есть известная байка, как Борис Немцов, будучи фаворитом президента и губернатором, катал Бориса Ельцина по Волге. И тот, задумчиво глядя на широкую речную косу, обронил:

— Не зна-а-аю, как поступить с островами.

— Причалить и позагорать, Борис Николаевич!

— Да не с этими... с Курильскими.

Или слушает-слушает и вдруг говорит: “Что мне делать со смертной казнью? Столько проблем... Этот “Совет по помилованию”... То ли миловать, то ли не миловать... я не зна-а-ю”. Царь мучается — лишить человека жизни или нет. Здесь на закон не сошлешься. Это собственное решение: взять на себя ответственность за жизнь человека. Или за его смерть. Такое внутреннее страдание! При чем тут я со своей ерундой? Какой-то малый бизнес...

Я не помню своих бесед с Борисом Николаевичем. С Владимиром Владимировичем помню, а с Ельциным — нет. В присутствии Ельцина я сразу терялась и цепенела. Как бандерлог перед Каа. Вот сейчас проглотит, а ты все равно двигаешься прямо в пасть. Уникально общался с президентом Немцов. У него становился такой же слегка выпученный остановившийся взгляд, и этим взглядом Каа-маленький, покачиваясь, вперивался в Каа-большого и медленными тяжелыми фразами вкладывал что-то в голову. У меня так не получалось: “А в Италии большая часть предприятий — маленькие! А страна богатая!”— “Зна-а-аю... будем думать”. И все. Конец связи.

Борис Николаевич — явление уникальное. Классический подвид хомо сапиенса, который я бы назвала "политическое животное". Всем своим поведением Б.Н. наглядно доказывал: политик — это не человек, который много знает. Политик — человек, который ощущает историю страны как свою жизнь, на уровне позвоночника, на уровне инстинкта самосохранения. Ельцину это было дано. Он чувствовал нить истории. Но могучее чутье не поддерживалось таким же могучим знанием, и поэтому он наломал столько дров.

Он был самодержец, но не тиран. У тирана нет воображения. У Ельцина оно было, и он умел делать "загогулины". Я развила бурную активность в качестве председателя Госкомитета по малому бизнесу и начала с романтическим пылом двигать сокращение лицензирования, упрощение процедуры выдачи сертификатов, доведенной до предельного абсурда: сертификаты требовали на все, вплоть до длины носков. Понятно, что это была всего лишь форма не слишком и завуалированного бюрократического рэкета, и, добиваясь отмены, я забирала у министерств функции, на которых они делали деньги. Все коллективно приняли решение, что пора меня убирать. А Ельцин раз в месяц что-то вещал в эфире на актуальную тему. И вдруг в очередном своем радиомонологе он говорит, что малый бизнес надо развивать и Хакамада — молодец! — делает полезную работу. Шипенье в Белом доме тут же стихло. На ближайшем приеме президент, довольный, спросил:

— Ну, как моя очередная загогулина?

— Хорошая загогулина, — похвалила я.

В России, с одной стороны, все сложно, а с другой — просто: царь рявкнул — челядь утихомирилась.

Прощальную загогулину Борис Николаевич попытался сделать для меня 13 апреля 1999 года, в мой день рождения. В десять утра раздался звонок:

— Ирина Муцуовна? С вами будет говорить Борис Николаевич Ельцин.

Какой к черту Ельцин? Я уже уволена из правительства, я вылетела из обоймы, меня нигде нет. Отставным министрам не звонят спозаранку, чтобы поздравить. Тем более действующие президенты. Наверняка это чей-то дурацкий розыгрыш. Бросить трубку и спать дальше? Но трубка тяжело вздохнула и прогудела:

— Я-а поздравляю тебя... с днем рождения...

— Ой! То есть спасибо, Борис Николаевич!

— Я-а... не люблю дни рождения...

— Я тоже не люблю, Борис Николаевич!

— Ну и что?

— Что, Борис Николаевич?

— Что хорошего?

— Ничего хорошего, Борис Николаевич. Сами знаете. Надо спасать.

— Кого... спасать?

— Страну, Борис Николаевич. Россию!

— Да-а... я в курсе... буду думать. Все?

— Все, Борис Николаевич.

Ельцин отключился, и только тут я заметила, что стою навытяжку в ночной рубашке, босиком, вскинув руку с трубкой так, словно отдаю честь, и на меня удивленно смотрят няня с ребенком. Умные люди мне потом растолковали: ты, Ира, тормоз. Пастернака перепастерначила. Тебе же прямым текстом дали понять, что звонят не ради поздравления: "...я дни рождения не люблю". Государь ждал просьбы о помощи: "Приютите меня, Борис Николаевич... не оставьте меня своими милостями, Борис Николаевич... только на вас и надеюсь, Борис Николаевич". А ты — "страна"!

Сталкер

мастер-класс от Анатолия Чубайса

В Чубайса влюблены все женщины среднего возраста и примкнувшая к ним Елена Трегубова. Как политик я бы не возражала, чтобы женщины среднего возраста, которых в стране больше, чем любого другого населения, и Елена Трегубова испытывали ко мне это очень продуктивное для российского избирателя чувство. Но, к сожалению, качества, которые независимо и, скорее всего, вопреки желанию Анатолия Борисовича приводят к таким последствиям, когда ими обладает представительница слабого пола, утрачивают свои гипнотические свойства. Они гарантируют их носительнице разве что уважение и то со стороны ограниченного контингента коллег. Я — о чубайсовской железной зависимости между словом и делом. Сказал — сделал. Обещал — выполнил. Если он публично заявляет, что готов строить демократическую империю — значит, завтра с шести утра он ее начнет строить. Заявил — тут же полетел в Грузию, на Украину договариваться о своих РАО "ЕЭС". Ни одного лишнего звука, любая фраза материальна. Полная противоположность Григорию Явлинскому, который будет исполнять, если есть настроение, и не будет, если его нет. Явлинский умеет очаровывать. Когда ему надо чего-то добиться, он пригласит вас в ресторанчик, окутает облаком, вы поплывете и поймете, что подобных интеллектуалов и душек в политике больше нет, перед вами единственный экземпляр и этому экземпляру надо служить. Но есть предел очарованию. Дальше нужны совместные поступки. С этим у Григория Алексеевича проблемы.

Еще одна краеугольная черта Анатолия Чубайса — он трудоголик. Сам пашет от зари до зари и считает, что тот, кто так не вкалывает, тот не профессионал. Идеальный работник должен быть всегда под рукой, всегда на связи, всегда в зоне досягаемости, готовым в любую минуту прервать сон, отпуск, половой акт. Вот чему не завидую и что никогда бы не стала в себе культивировать, даже если бы была мужчиной с низким голосом. Не хочу быть трудоголиком! У трудоголиков — мешки под глазами от постоянного недосыпания и лишний вес от постоянных бутербродов. Трудоголики редко улыбаются и редко шутят. Не оттого, что лишены чувства юмора. Смех — расслабляет, а на боевом посту расслабляться нельзя. У Чубайса в глазах постоянно пляшут чертики, но за все время нашего общения он позволил себе пошутить считаные разы. Как-то мы сидели в его кабинете на переговорах. Обсуждалось что-то очень серьезное. Когда я сильно думаю — много курю. Если мне запретить курить, я не могу думать. У Чубайса аллергия на табачный дым. У него нигде нет сигарет и пепельниц. Я терпела-терпела и не выдержала:

— Анатолий Борисович, хотите, чтобы мои мозги работали, позвольте мне курить.

Чубайс тут же нажал кнопку селектора:

— Пепельницу.

Секретарша внесла огромную, похожую на урну пепельницу. И растерялась — за столом прорва мужиков:

— Кому пепельницу, Анатолий Борисович?

И Чубайс уточнил:

— Пепельницу — Хакамаде. А цветы — Немцову.

Все, включая Немцова, заржали.

Чтобы находиться на политических высотах и через пару лет не превратиться в монстра, надо к себе и своему организму относиться с любовью. Только так возможно сохранить способность любить других. Быть немножко пофигистом. Иначе от нервных стрессов нарушится обмен веществ, оплывешь, одеревенеешь, утратишь либидо. А асексуальный политик — вредный политик. И это не его личное дело, это государственная проблема. Почему он такой? Потому что день и ночь на посту. Почему день и ночь на посту? Потому что боится хоть на секунду ослабить контроль за ситуацией. Я всегда утверждала, что Россию спасет ленивый чиновник. Тот, который захочет нравиться женщинам и заводить романы. Для романов требуется досуг. А досуг обеспечит система, которая может работать без него. А для этого нужно снизить налоги на бизнес, помочь детям, старикам, инвалидам, дать возможность зарабатывать учителям, врачам, ученым, накормить армию. И тогда страна заживет самостоятельной жизнью. Но нашим политикам кажется, что когда они хоть что-то отдают обществу, они теряют власть, и поэтому они принципиально не позволяют людям стать богатыми. Представьте, что все обеспечены. Как жить бюрократу? На одну зарплату, что ли? А как заставят с собой считаться? Выход простой: удерживать одних под прессом взяток, других — под прессом нищеты.

Но я отвлеклась. Мы — о Чубайсе. В кабинете у Анатолия Борисовича все холодно, правильно, кругом модели электростанций, все они щелкают, переключаются, мигают. Голый стол, посредине ручка и листок бумаги. Никакого бардака, ничего личного. Возможно, минимализм создан сознательно. Мой служебный кабинет тоже очень формален. В нем бывает слишком много всякого народа, и я не хочу, чтобы кто попало получал обо мне дополнительную информацию, как получаю ее в чужих офисах я. Кабинеты — это слабое место наших руководителей, их ахиллесова пята. Во многих хозяин считывается на раз. Я всегда стараюсь попасть к важному для меня человеку в кабинет. Прежде чем начать разговор, сканирую — что висит, что стоит. И мотаю на ус. С теми, у кого повсюду навалены бумаги, недопитый кофе на циркуляре, окна настежь, в пепельнице непогашенный окурок — с такими можно держаться без формальностей. А если, как у Чубайса, ручка и листок, значит, передо мной человек в футляре. Значит, никакого панибратства. Значит, приближаться будем потихоньку. Без резких движений, без лишних улыбок. Сухо, технологично.

Обуючивание кабинетов — новая черта нашего руководства. В СССР, как и в нацистской Германии, никаких вольностей не допускалось. Все казенно, все обезличенно, на всем — инвентарный номер. Вряд ли при Сталине или даже при Брежневе в кабинете могли поселиться, например, черепахи, как у Игоря Иванова, бывшего министра иностранных дел. Такого количества черепах самых невозможных цветов, размеров и форм я никогда не видела. Ими у Иванова было забито все. Когда я увидела эту колонию черепах, я поняла, что с Ивановым можно общаться, в человеке есть задоринка. Так оно и оказалось. Между прочим, черепаха — это символ внешнеполитической работы: ты должен двигаться, как она: медленно, без рывков, но неуклонно.

У Бориса Немцова в кабинете стояло его чучело из "Кукол" во весь рост. Входишь — бабах! — на тебя смотрит лупоглазый, очень поглупевший Немцов. "Борис Ефимович, у тебя что-то случилось?" Сколько раз входила, столько вздрагивала. И можно не сомневаться: у того, кто способен поселить в присутственном месте своего карикатурного двойника, с самоиронией все в порядке. У Явлинского — не кабинет, а плодохранилище: яблоки, яблоки, яблоки. Я люблю у него бывать. Он кормит шикарными конфетами — курага и чернослив в шоколаде. И всегда чай, кофе, сигаретный дым и вискарик. Душевный кабинет. У Слиски — сувенирчики, вазочки, салфетки, чайнички, фотографии детей. Входишь, словно в добротную избу. Пироги, разносолы, раки. У Путина ничего не помню. Кроме суконной обстановки и часов с имперской короной из малахита. И то потому, что мне подарили точно такие, заверив, что "прямо как у Самого". С порога стрельнула глазами: не обманули? Стоят? Не обманули, стоят.

Россия, нация, “Плейбой”

мастер-класс от левых

Геннадий Андреевич, хочет он того или не хочет, являет нам американское учебное пособие по пиару. Наследник КПСС и антиамериканец, он на самом деле похож на продукт американской демократии, которая сегодня до боли напоминает беспредельный совок, только с товарами. Мы свободнее во сто раз. Курить нигде нельзя, выпить банку пива на улице — нельзя. До одиннадцати часов американцы в баре опохмеляются так: аккуратненько вытаскивают бутылку из кармана, наливают в стаканчик из-под сока, подкрашивают оранджем и тихо вылакивают. Я не раз вспомнила Геннадия Андреевича, когда американские эксперты обучали меня технике общения с прессой. Один из тренингов выглядел так — мне задавали вопрос: Калининград скоро станет анклавом. Какие, по-вашему, возникнут проблемы и как их решать? Я заводила волынку о единой энергосистеме, о том, что если Калининград закрывать, то мощности нужно переводить на европейские стандарты и нужен свободный визовый режим, чтобы не лишить население главного источника существования — приграничной торговли. Меня обрывали. Не годится. Проблему Калининграда нужно без лишних подробностей свести к рабочим местам и зарплатам. А что вы думаете о высоких таможенных пошлинах на автомобиль с правым рулем на Дальнем Востоке? Я думала, что высокие таможенные пошлины оставят людей без машин. Опять неправильно. Почему? Надо проще и про рабочие места и рост зарплаты. А при чем тогда автомобиль с правым рулем? Ни при чем. Народ — он простой, он за один раз может усвоить только одну простую мысль. Зюганыча не надо учить американцам. У него и без них, о чем ни спроси, хоть о терроризме, хоть о пенсиях, хоть о профессиональной армии, все сводится к "этому антинародному режиму, который погубил русский народ и уничтожил великую державу". В Совете ли Европы, в НАТО ли, в российском парламенте, перед журналистами — взгляд останавливается, и попер: "Этот антинародный режим". И завоевывает голоса простых избирателей. У меня так не получается. Мне стыдно.

Кстати, мне посчастливилось наблюдать Геннадия Андреевича и совсем в ином амплуа. Когда в 1996 году рейтинг Ельцина упал до двух процентов, Зюганова неожиданно пригласили на Давосский форум. Что такое Давосский форум? Это международный бизнес-клуб, скопление империалистических транснациональных компаний со всего мира, на которых обкатывается будущая политическая элита. Приглашают туда только либеральных и демократических лидеров. Приглашение идеологического оппонента означало, что истеблишмент всего мира рассматривает Зюганова как потенциального президента. Геннадий Андреевич дисциплинированно говорил о конкуренции, о том, что должны существовать разные формы собственности. Ни слова про рабочий класс и про антинародный режим. И произвел фурор. Мировое сообщество даже засомневалось, так ли это катастрофично, если в России к власти придут коммунисты? Вон какие они, оказывается, у вас симпатяги — просто левые социал-демократы!

У Геннадия Андреевича и правда много симпатичных черт. В личном общении он прост по-ленински. При прессе непременно пожмет руку, спросит:

— Ну как сынок?

— Да у меня дочка

— Ну как дочка?

В нем, в отличие от всяких радикалов, нет злобности.

— Ир, чего ты разбушевалась? Мы же признали свои ошибки, — говорил он мне после того, как я на теледебатах забросала его цитатами из мавзолейной мумии о расстрелах, о красном терорре, о концлагерях. Любой радикал тут же, в студии, затоптал бы меня ногами, утопил в слюне, забросал перхотью. Левые нынче вообще та-акие странные! Когда и кому большевики прощали грех плюрализма? Никогда, никому, ни крупный, ни мелкий: кто не с нами — тот против нас, нынче он танцует джаз, завтра родину продаст. А теперь? КПРФ приветствовала арест Ходорковского. Доренко, член КПРФ, арест Ходорковского не приветствовал. И не был ни отлучен, ни проклят. Потому что Доренко — великий психолог, из тех, кто словом может убить, словом может спасти, словом может войска за собой повести. Такими союзниками коммунисты уже не разбрасываются. Они стали жутко гибкими, обросли креативной молодежью. А демократы, напротив, окаменели. Лежат валуном на распутье, предупреждая: “Налево пойдешь — коня потеряешь”, и почему-то уверены, что этого довольно, что русский человек обречен выбрать правильное направление. Ничего не обречен.

Во-первых, у него уже есть печальный опыт демократических реформ, в результате которых он лишился всего, чего можно лишиться, а взамен не обрел ничего, кроме сериалов. Во-вторых, подлинная демократия — искусственная система. Это парниковое растение, которое требует неусыпной заботы и защиты. Авторитарные режимы выстраиваются сами собой, потому что по законам иерархии существует весь животный мир. Человек — часть его. Россия так стремительно скатывается то туда, то сюда не оттого, что она дурнее всех. Скатится кто угодно. И Франция и Америка. Только отпусти. Там это поняли, потому и насоздавали такие сложные институты сохранения демократии. Европа свою породу “хомо сапиенс либерале” выводила долго и упорно. Получился дисциплинированный прагматик.

Я наблюдала, как в очень обеспеченных европейских семьях каждую субботу аккуратно вырезают купоны и дисконты из всех журналов. Складывают в пачечку, а потом с этой пачечкой идут в магазин, выгадывая десять евро при ежемесячном доходе в тридцать тысяч. Наш народ никогда не будет ковыряться с ножницами. Скидка пять процентов? Да пошли они со своей скидкой. Все равно денег нет, и это — не деньги. На дешевых курортах, в какой-нибудь Анталии, те же немцы будут сидеть у бассейна, даже если море теплое, и не потратят на развлечения ни цента сверх запланированной суммы. Наши будут болтаться в море-окияне даже в шторм, тарахтеть на всем, что тарахтит, швыряя валюту направо и налево. Дорого? Ну и пусть. Однова живем! Это не штрихи. Такова суть национального мировосприятия. Оно — иррационально и чувственно.

Русскому народу нужны идеи, от которых мороз по коже и мурашки вдоль позвоночника, ему нужно, чтобы адреналин забил фонтаном, как нефть из скважины. Потому что адреналин — это нефть русской души. Кто добыл, тому они (и нефть и душа) и достанутся. У нас, у демократов, ни мороза, ни мурашек. Мы рациональны и технологичны, как и модель общества, которую предлагаем. Например, я говорю на дебатах, что для качественного изменения уровня жизни человек должен стать субъектом власти наравне с самой властью. Правильно?

Правильно. Заводит? Не заводит. А патриот рванет на груди рубаху, в глазах — огонь, изо рта — пламя:

— Прочь с дороги! Россия для русских! Грабь награбленное! Сарынь на кичку!

Бред? Бред. Заводит? Заводит. А главное, получается это у него само собой, без натуги. Патетика как состояние души. Мы, демократы, так не умеем, наши творческие кумиры либеральной ориентации так не хотят. Они патетики чураются. Низкий жанр, площадной. А площади — не их стихия. Они у нас все больше по башням, по бунгалам, по избушкам на курьих ножках, чтоб "раскурил чубук и запахнул халат, а рядом в шахматы играют". Вы можете представить себе Бориса Гребенщикова впереди факельного шествия или митингующим на броневике? А Проханова? А Доренко? Да запросто. У левых их творческие единицы — боевые слоны.

Помню, во время какого-то политического турне по Волге устроились мы с Прохановым в шезлонгах на палубе. Естественно, тут же из всех щелей повылезали журналисты и защелкали фотоаппаратами.

— А слабо, — спросила я Проханова, — поместить такой снимок в "Завтра"?

— Слабо, — согласился Проханов, — читателей распугаем. Нельзя. Страну надо спасать. Народ, нацию и Россию. А в "Плейбое" напечатать не слабо. Может, договоримся?

Вот так, без пауз, через запятую: Россия, нация, “Плейбой”. И это не на трибуне. Это в частном разговоре. Есть над чем задуматься.

Гвозди бы делать из этих людей

мастер-класс
от всей олимпийской сборной

Первое.

Они умеют держать физический удар. Чтобы ни случилось, никаких обнародованных страданий, никакой маски великомученика. Валентина Матвиенко попала в автомобильную аварию и из больницы, чуть ли не в гипсе, катапультировалась в командировку. Шанцев обгорел, после такого ожога и пересадки кожи люди еще долго ездят на коляске, а он вышел на своих двоих на работу, еще и выступал. Если не спросишь, никто и не скажет. Обыкновенный человек разохается на пустом месте:

— Ах, у меня катастрофа!

— Что?! Что?!

— Ой, с мамой — ужас, с женой — ужас, с детьми — ужас.

Потом оказывается, что мама потеряла ключи, жена сломала каблук, у детей насморк и так далее. Люди любят изображать ужас. Эти ничего не изображают. От них никогда не узнаете о проблемах со здоровьем или с семьей. Они ведут заседания, они ездят в командировки, и никто не подозревает, что там такое творится! Плохо с сердцем, отваливаются почки, инсультное состояние. Ни один мускул не дрогнет. Не принято. Зверская выносливость. Это обратная сторона хищного мира: нельзя показывать слабость, покажешь слабость — сожрут.

Второе.

Личная храбрость — тоже запретная тема. В 1995 году Ельцин весь аппарат загнал в Чечню. Басаев и Масхадов были тогда членами правительства. Первая встреча, первый разговор о малом бизнесе. Я что-то вещаю, и вдруг Басаев меня обрывает:
— Мы с тобой вообще разговаривать не будем. Мы будем разговаривать только с русскими.
Я какой-никакой министр, член официальной делегации. Ну чего объяснять… В общем, не сдержалась. Поговорили на повышенных тонах. После заседания мы с Натальей Дементьевой, тогда министром культуры, отправились искать туалет. И заблудились в Доме приемов в Грозном. Кругом разруха. Ау-ау! — никого нет. Две бабы одни остались, а я еще с Басаевым поругалась. Сейчас преградят дорогу боевики в повязках, передернут затвор автомата, и малый бизнес в России, а также в братской Ичкерии будет налаживать кто-то другой. “Ничего, продержимся!” — кинула мне Наталья и помчалась по коридорам на своих длинных ногах. Я неожиданно почувствовала себя

спокойно. Не дрогнула, даже когда боевики в повязках и с автоматами все-таки появились. Затворов они не передергивали, а сказали: “Вы заблудились. Мы выведем”. И вывели.

В Москве на прощание Наталья Дементьева мне шепнула:

Ир, ты не бойся, если снова пошлют, полечу с тобой, и как-нибудь выживем.

И после ни одного разговора на эту тему. Есть в этих людях внутренняя храбрость. Обычный человек или парламентарий прилетит и всем растрезвонит: “...А я был в Грозном, а меня чуть не убили”. Чиновник слетал, и ладно. Ты можешь хвастаться, как провел закон, можешь хвастаться, как подписал бумагу, как прорвался к президенту. Пожалуйста, сколько угодно. Бравировать тем, что был в горячей точке или вырезали почку, а ты на боевом посту — нет, никогда.

Третье.

Потрясающая зрительная память. Знают всю номенклатуру. Не на высшем уровне, а на уровне замов и ключевых департаментов. И не публичных, а самых зашифрованных, таких, как разведка и контрразведка. Весь табель о рангах по горизонтали. У них в голове хранится необозримая картотека. Человек только возник в поле зрения, и тут же внутренний компьютер выдает информацию: родился тогда-то, назначен тем-то, с теми-то связан, такие-то

перспективы. Сумасшедшая память на имена-отчества. Самый высокий класс демонстрирует старая гвардия. Они помнят, кого как зовут не только по фамилии, но и по имени-отчеству, и сыплют этими именами и отчествами с дикой скоростью. “Мне не нравится, что вчера сказал Иван Иваныч Ивану Никифоровичу”. Какой Иван Иваныч? Какому Ивану Никифоровичу? На моем отчестве спотыкаются все. Как только его не коверкали! И Мацаевна, и Мицуевна. В государственных кабинетах не ошиблись ни разу ни хозяева, ни их адьютанты: Ирина Муцуовна, без вариаций и спотыканий.
Первым меня поразил Рыбкин Иван Петрович, который стал депутатом нового парламента и уже через два месяца знал каждого из четырехсот пятидесяти коллег в лицо и обращался ко всем без запинки. Когда меня сделали вице-спикером, у меня начался мандраж: я же обязана вести заседания, и фамилии депутатов должны отскакивать от зубов. А я должность приблизительно помню, дальше ни хрена. Конечно, не Станиславский с его: “Товарищ Сталин, извините, забыл ваше имя-отчество”, но где-то рядом.
В отпуске летом в Юрмале взяла справочник Госдумы со всеми фотками. Серые странички с дикими серыми паспортными фотографиями, напротив фотографий — фамилия, краткая биография. Месяц тренировалась. В парламенте вице-спикер

сидит наверху, на сцене, а депутаты сидят внизу, в зале. На пляже набрала 450 камней и создала модель парламента: рассадила по фракциям — листочек с портретом, придавленный камешком, чтобы ветром не сдуло. Листочек с портретом, камешек. Листочек с портретом, камешек. Встала, смотрю сверху, как бы из президиума, на бумажных депутатов, которые трещат на ветру, и запоминаю: этот такой-то, этот такой-то. И так каждое утро. Каторжный труд! Глазу зацепиться не за что. Особенно трудно запоминалась компартия. Все словно близнецы-братья, все словно под копирку. Женщин от мужчин отличить невозможно. Гранитные лица. У националистов, у Жирика люди еще разные. А вот коммунисты и партия власти — клон на клоне! И я вдруг поняла, какая там в реальности серость. Через неделю бумажки все протухли, их намочил дождь, их порвал ветер. Кто выжил, тех и запоминала. В конце сдалась: будь что будет. Был кошмар. Депутат тянет руку, я тупо на него смотрю, минуту смотрю, две смотрю. Он уже весь багровый, надрывается, кричит: "Вы не даете оппозиции слово!". А я не слова не даю, я пытаюсь вспомнить фамилию. Не могу же сказать: включите микрофон тому мужчине с багровым лицом. Я и тяну время, заглядывая в табличку с подсказкой. Валидол пила каждый день, а когда вела заседание, глушила стаканами валерьянку, потому что от напряжения вылетали и те фамилии, которые знала. А опрокинешь в себя пол-литра валерьянки, становишься спокойной и сосредоточенной, как Будда. И тогда фамилии выскакивали сами. Одного психа запомнила на всю жизнь. Этот... как его? Вот, забыла.

Побочная тема: *Другая планета*

В 2001 году я увидела документальный французский фильм “Птицы”. Он посвящен большим миграциям птиц: как они преодолевают невероятные расстояния, как выживают в пути, где находят приют, как справляются со смертельной усталостью. В нем нет сюжета. В нем нет экологической идеологии. Никто ни на кого не охотится, никто ни с кем не совокупляется, никаких “о ужас! в мазуте застряли крылья”. Всю картину над земным шаром летит и летит стая, и благодаря уникальной технике съемки вы словно летите вместе с ней, внутри нее. Летите над Нью-Йорком и Каиром, над трубами с дымом, над океаном и пустынями. Полтора часа ничего, кроме взмахов крыльев, но я вышла из кинотеатра потрясенная. Я вдруг поняла, что существует параллельный мир. И этот мир такой же мощный, как и человеческий.

У меня возникла догадка, что проблема цивилизации в том, что мы настолько зациклены на самих себе, что окружающий мир воспринимаем как часть своего. А мы — не его часть. Догадку требовалось проверить, и я прислонилась к одной экспедиции, которая отправлялась в дикие джунгли Малайзии на границе с Индонезией. Там есть два штата, и на их территории растут джунгли, не изменившиеся за десятки миллионов лет. Они сохранились с доледникового периода. В малайзийских джунглях человек жить не может. В тайге — да, в джунглях Амазонки — да. В малайзийских — нет. Там высокая влажность и пятьдесят на солнце. Нас было четверо. Я и трое отмороженных ученых-биологов, готовых ради редкой фотографии без акваланга опускаться на морское дно, спать в обнимку со змеями, питаться кореньями и акридами. С другими людьми в параллельный мир не попасть: не пустит.

Я не хотела уйти в параллельный мир и стать растением. Сейчас такой вид индивидуального протеста снова стал моден. Человечество убегает от самого себя, и это настоящий побег. Последняя очень актуальная тенденция — уезжать на Гоа. Там за доллар можно снять хижину, еда ничего не стоит и, попыхивая травой на берегу океана, впадать в амнезию. Чаще уезжают молодые, около тридцати лет, творческие люди. С самых престижных, денежных позиций. Таких беглецов становится все больше и больше. Вроде все есть — и деньги, и светская жизнь, и интересная профессия. А люди исчезают.

Я отправлялась в экспедицию с одной целью: чтобы вернуться с иной энергией и организовать в огромном городе иное пространство. Получить заряд от параллельного мира, чтобы изменить этот. Я не про политику. Я про отношение к жизни.

...Наденьте теплый свитер, шапку, поставьте велотренажер в сауну, крутите на предельной скорости педали, и где-то на третьем часу вы сможете, если останетесь в сознании, приблизиться к ощущениям европейского человека, идущего по малайзийским джунглям. Приблизиться — потому что в сауне не роятся мириады насекомых, от которых не защитит ни один репеллент. Пройти пять километров по джунглям — все равно что пробежать пятьдесят по ровной местности. Мои кроссовки для прогулок по малайзийским джунглям оказались непригодными. Малайзийские джунгли — многоярусные, там нет троп, а есть огромные корни деревьев, опутанные лианами, на которых скользит нога. Мне выдали специальные трековские башмаки. Перед первым марш-броском померила в лагере — вроде нормальные. Но через сорок минут ноги во влажном пекле отекли, стиснулись и начали деревенеть, а сердце начало выскакивать. Я сняла рубашку с длинными рукавами и осталась в майке, потом содрала специальные гольфы, похожие на бухгалтерские нарукавники с тугой резинкой, чтобы внутрь не заползли насекомые и змеи.

Через полчаса я подвернула штаны, сбросила ботинки и пошла босиком. Меня кто-то жалил, меня кто-то ел. Вначале я отбивалась, потом мне стало все равно. Я сделалась частью пищевой цепи. Я перестала чувствовать укусы. За мной по сырой траве стелился кровавый след: из дыр под коленями, просверленных пиявками, хлестала кровь. Я думала — вытечет вся, упаду и умру. Я уже представила свой некролог: "В расцвете лет при трагических обстоятельствах погибла бывший депутат, бывший министр, бывший кандидат в президенты, известный политик Ирина Хакамада". Без уточнений, при каких именно "трагических обстоятельствах". Потому что "в джунглях съедена пиявками известный политик Ирина Хакамада" прозвучит как первоапрельская шутка. Страна и так не будет слишком горевать. Подумаешь, одним политиком, пусть даже оппозиционным, стало меньше. Невелика потеря. У нас политиков забывают раньше, чем зарывают. И никто-никто уже никогда-никогда не догадается и не узнает, какая замечательная женщина, живая и настоящая, была спрятана внутри бывшего депутата, бывшего министра, бывшего кандидата в президенты И.М. Хакамады.

Она, эта женщина, обожала шоколадный пломбир, синие вазы, плюшевые скатерти с кисточками до пола, первый том “Капитала” Карла Маркса, слонов, водопады и классическую музыку... она, эта женщина, ненавидела будильники, музеи, горные лыжи, строгие костюмы, искусственные водоемы... умела разжечь костер с одной спички, даже зимой спала с открытым балконом... больше всего на свете любила валяться на диване с пультом и яблоком... мечтала преобразовать Россию, выучить в совершенстве английский язык и сесть на поперечный шпагат...

Я дошла. Кровотечение унял егерь: плюнул на кусок туалетной бумаги, прилепил к ранам, и через минуту кровь остановилась. За ночь я оклемалась и встретила свой первый настоящий рассвет в джунглях на канатном мостике, натянутом между двумя деревьями на стометровой высоте. Снизу подымался бело-розовый туман. Едва не сшибив меня крылом, пролетела птица размером с небольшого птеродактиля. В ее зрачке качнулось мое отражение. А может, и не птица, а медвежонок или еще кто-нибудь. В здешних джунглях из-за того, что все деревья разного уровня, практически все животные летают: и лисы, и белки, и лягушки, похожие на Нефертити. Посмотрит сквозь тебя изумрудными глазами царевны из сказки, расправит веером алые перепонки между лапок и упорхнет. Они нас не замечают. Мы из другой системы, наши запахи не записаны в их генном коде, мы для них не существуем. Поэтому никто на тебя не бросается, никто от тебя не прячется, никому ты здесь на хрен не нужен. Так устроен глаз, так устроено обоняние... Последние минуты тишины, и словно по команде завопили лягушки. Вслед за лягушками начали греметь цикады, заверещали обезьяны. Джунгли проснулись. Бог ты мой! Кремль, президент, партия, оппозиция, домик купить — какая все чушь. А рядом молчит егерь.

Две недели мы бродили по джунглям. Мои безумные спутники вдохновенно щелкали фотоаппаратами. Я же наслаждалась непривычным для меня счастьем — ни о чем не думать. Самое трудное для цивилизованного человека — ни о чем не думать. Он тратит деньги на тренинги, погружается в чужие для него учения, религии, культуры, чтобы освоить спасительное искусство. И ничего у него не получается. В параллельном мире это происходит запросто.

Под конец егерь пообещал провести нас к пещерам. После рек, которые на моих глазах короткий тропический ливень поворачивал вспять, после раффлезии — гигантского цветка-паразита, я была готова ко всему, но не к тому, чтобы попасть в ад. Шли, шли — и вдруг джунгли расступились и открылся зев громадных размеров. Охватить его взглядом было невозможно. Космическая черная дыра. В глубь нее уводил шаткий, скользкий от птичьих испражнений мостик. На самом верху пещеры, словно в куполе католического собора, зияло отверстие. Сквозь него бил, прорезая тьму, столп света. Ощущение, что ты попал в храм. Но это храм дьявола. Весь свод пещеры покрывала черная масса. Она пищала и копошилась. Кто там? Летучие мыши. Воздух насыщал такой густой запах мочевины, что перехватывало дыхание. Если находится внутри дольше часа — можно отравиться. На заходе солнца тысячи летучих мышей с визгом и писком вылетели наружу на охоту. Они заволокли собой все небо. Нужен Данте, чтобы это описать, и Босх, чтобы нарисовать.

Мой фонарь выхватил свисающий с купола канат. Один, другой, третий. Сто пятьдесят метров вниз и сто пятьдесят метров вверх. И цирковые канаты, которые непонятно на чем висят! Что это? А это — рабочие места. Местные племена добывают себе средства к существованию, собирая птичьи гнезда и мышиный помет: с огромной корзиной за спиной подтягиваются на канатах на руках, делают из канатных веревок люльку и, раскачиваясь над бездной без всякой страховки, снимают гнезда стрижей, драгоценный деликатес китайской кухни, и соскабливают лопаткой помет летучих мышей. Собрать тридцать килограммов помета на высоте триста метров! И гнезда, и помет покупают у аборигенов за копейки (тридцать долларов — корзина), а продают за большие деньги. Где-нибудь в элитном ресторане Шанхая или Сингапура блюдо из птичьего гнезда стоит две-три сотни долларов.

Мы идем по качающемуся мостику. Вдруг внизу, на глубине ста метров, на самом дне я разглядела маленькую избушку. В окошке горела свеча. А это что? А это сторожка. За сто долларов в месяц в ней живут по две недели две семьи. С детьми. Место знаменитое, но попасть туда мало кому удается. Местное население защищает эту пещеру. Однажды здесь пытались снять кино. Но собиратели гнезд оборудование разбили и изуродовали. И поставили внизу избушку, чтобы было кому поднять тревогу, если какие-нибудь фотографы-операторы снова попытаются проникнуть и запечатлеть. Они боятся, что о пещере узнают и отнимут их хлеб. Ничего себе люди зарабатывают! Дышать нечем, никакого электричества, сверху летит мышиная моча, водопровода нет. Я не хочу сравнивать: мол, ребята, видите, как живут люди? Поэтому хлебайте свое дерьмо молча и радуйтесь. Я не о том. Потрясение, которое испытываешь там, другого рода. Люди привыкли к красоте природы. К красоте любой: и мрачной, и светлой. Вулканы — как это прекрасно! Или водопады. Или снежные лавины. Или такая вот пещера, заселенная несметными стаями летучих мышей. Ею любуешься, не испытывая шока. Ну да, мощно. Ну да, жутко. Ну да, натуральный, во всех смыслах, храм дьявола. Но подивишься и успокоишься. Совсем иная дрожь возникает в позвоночнике, когда внутри такой картины обнаруживается человек. Не в скафандре, не в корабле. Голый, не вооруженный ничем, кроме рук и ног. Он тут живет и, наверное, бывает по-своему счастлив.

И вдруг понимаешь, что мир огромен. Кажется, бесполезная информация. Ну что я получила от того, что увидела эту дикую пещеру и добычу местных племен? Но когда твой мир маленький, то любая мелкая неприятность может его покачнуть и разрушить. А когда ты смог раздвинуть его до масштабов реального мира, смог увидеть и почувствовать эти масштабы — прежние муравьиные горести теряют свою значимость.

Я вернулась в Москву, и друзья ахнули: я светилась. Меня по-прежнему полоскали в прессе, против меня интриговали, мне говорили гадости. Я получала все, что положено получать оппозиционному политику. Прежде я бы дико расстраивалась. Теперь же говорила себе: “Ира, перестань. Вспомни избушку, вспомни пещеру”. Смотрела на обидчика глазами лягушки из джунглей, расправляла перепонки и улетала. Заряда параллельным миром хватило надолго. Почти на два года. Когда он начал иссякать, я собралась и уехала в саванну...

Тема пятая:
Золотая орда

В 1993 году меня и нескольких экспертов Комитета по экономической политике отправили в Мерилендский университет изучать антимонопольную политику. Все молодые, умные, веселые ребята. Мы болтались по городу, писали конспекты, ощущали себя студентами. Однажды забрели в ночной клуб с бесплатным входом и коктейлем. На пилоне — легкий стриптиз. Я уломала одного парня, красавца с голубыми глазами, засунуть за ниточку трусиков стриптизерши доллар. Он засунул, девушка ему станцевала. Весь следующий вечер мои мужчины шептались по углам, а ближе к ночи исчезли. В шесть утра меня разбудил звонок. Красавец с голубыми глазами попросил взаймы. Пятьдесят долларов. Хорошо. Через полчаса позвонил второй. Попросил взаймы пятьдесят долларов. Пятьдесят не дала, дала десять. Через несколько минут позвонил третий. К полудню отзвонился весь мужской состав: мальчики решили посетить ночной клуб однородной компанией, без дам-с, посетили — и в результате за нитку трусиков перекочевала вся их наличка. Оставшиеся дни питались бигмаками.

Примерно тогда же на международном форуме в Давосе произошел скандал, когда один из приглашенных русских бизнесменов на радостях привез туда цыганский хор, проституток, и пошла такая гульба, что весь Давос трясся. Иностранцы с удовольствием приплясывали, щелкали пальцами, перемигивались с девочками, но больше бизнесмена к себе не приглашали.

Теперь такие казусы если и случаются, то очень редко. Обвыклись. Заграничные командировки стали нормой жизни. На парламент сыплется бешеное количество поездок, и этим туризмом за государственный счет увлекается огромное количество депутатов. Часто платит приглашающая сторона. Официальные визиты — за счет нашего бюджета. Командировочные — триста долларов в день. Обязанностей — ноль: тема конференции редко совпадает с тем, чем рядовой депутат занимается. Ему нечего сообщить миру по заявленной проблеме. Поэтому весь воз везет руководитель делегации. Он должен создавать иллюзию, что наш парламент может профессионально и интеллектуально конкурировать с Западом, что мы не хуже, а лучше. Остальные члены делегации себя не утруждают. На утренние заседания выкарабкиваются с трудом, часам к одиннадцати. К ранним побудкам никто не привык: Россия — страна ночных сов. У нас самый простой способ сорвать мероприятие — это назначить его на восемь утра. В Европе все наоборот: восемь утра для европейца, можно сказать, разгар трудового дня, зато тебя никто не поймет, если ты будешь торчать в своем кабинете допоздна. Могут и уволить: раз вынужден задерживаться, значит, не справляешься с работой. Как-то в Италии нужно было переделать протокол встречи, и мы предложили итальянскому департаменту задержаться часа на два. На нас посмотрели как на сумасшедших.

После обеда количество российских представителей резко уменьшается: заправились — и на шопинг. Загружаются всем: от спиртного до кожаных поясов. Уезжают с неподъемными баулами, точно челночники. Из Японии, например, отправляли контейнерами рисоварки и мини-хлебопекарни. В одну дырочку засыпаешь муку, соль, сахар, а из другой вываливаются горячие булочки. Неужели дома кто-то будет эти булочки печь? По-моему, все политики в России живут неплохо и ни к чему мучиться, тащить такую тяжесть. И на хрена булочки? Худеть надо! Помню, один депутат повсюду таскался с огромной спортивной сумкой и каждый раз набивал ее прорвой продуктов. Вез на родину тонны сыра, растворимый кофе. Как-то я не выдержала:

— Зачем? У нас же все это есть!

— А вдруг кончится.

До сих пор, словно командированные советских времен, пытаются экономить на еде. На халяву съедают все до последней крошки. Наличные никогда не потратят на чашечку кофе в уличном бистро. На покупки — другое дело. Я не виню людей. Это не характер, это социальный инстинкт. Совок из нас не выдавить по капле. Его надо откачивать насосом. На мне самой полно этих родимых пятен социализма.

Два года назад была с подругой в Риме. Едва поднялась в отеле в свой номер, зазвонил телефон и бархатный голос пропел в трубку: синьора, вы — великолепны. Я хотел бы провести с вами вечер. Я покажу вам город, я напою вас вином, я освежу вас яблоками, ибо я изнемогаю от любви... Я моментально вспотела и пискнула, что замужем. Мне ответили, что ничего не имеют против моего мужа, тем более что здесь его нет. Перезвонить через пять минут? Си, синьора. Дальше я вырвала с корнем шнур телефона вместе с розеткой, заперла дверь на все цепочки и замки, выключила свет и, не приняв с дороги душ, залезла с головой под одеяло. Утром подруга повертела пальцем у виска, объяснила, что это были не домогательства, а обычный гостиничный сервис, и все, что от меня требовалось — вежливо отказаться. Или согласиться. Ладно, насчет услуги я могла и не знать. В конце концов, в прейскуранте она не значилась. Но что заставило меня, просвещенную европейскую женщину, между прочим, вице-спикера парламента, выдергивать шнуры и баррикадироваться? Я допускала, что кто-то ворвется в номер, чтобы надругаться над "руссо туристо, облик морале"? Очень советское поведение.

Или, стыдно вспомнить, как я на приемах бухалась на стул, не дожидаясь, пока сядет глава принимающей стороны. Все стоят, а Хакамада уже салфетку на коленях расправляет. И трескать начинала раньше хозяина. Потом оказалось, что и даже при смене блюд положено ждать. Однажды был совсем идиотский прокол. Я села на диету. Принесли мясо, и я до него не дотронулась. Это все заметили, потому что на приемах блюда приносят в фиксированное время и через фиксированное время уносят, не как в ресторане, где можно весь вечер ковыряться в одной тарелке. Посол жутко озаботился. А почему вы не попробовали? Вам не понравилось? И я начала пространный рассказ о гемокоде, согласно которому мне нельзя есть говядину. Дура!

Все наши топорность и неуклюжесть, которые до сих пор видны и над которыми хихикают те же официанты, — мелочь, если речь идет о частном туризме. Когда же ты — официальное лицо, из этих мелочей складывается образ страны. Но это никого не волнует. Ни тех, кто посылает, ни тех, кто едет. Недавно в Евросоюзе один российский депутат, одетый в ковбойскую шляпу, кожаную куртку с лохмотками и — где только раздобыл? — в ковбойские сапоги с заправленными в них брюками, сел на перила в большом коридоре, почему-то закурил сигару и, раскачиваясь на перилах в этом голливудском наряде, пьяным голосом кричал на весь Евросоюз, что Россия — великая азиатская страна. Он не прав. Мы — не азиаты. Во всяком случае, не современные азиаты. В области международной политической культуры мы до сих пор все те же древние скифы. Обучаться не желаем. Любите нас такими, какие мы есть.

"Меняю Транссиб на Гольфстрим"

Как мы ведем дискуссии! Вскакиваем: "...передо мной выступили такие-то господа, я с ними не согласен. Надо делать наоборот". И дальше начинаем сыпать банальности, никакого "наоборот" там нет. Ну, может, незначительный нюанс. Это не важно. Важно подчеркнуть, что мы оппонируем. Западный профессионал действует по иной схеме, отточенной и жесткой. Сначала он благодарит за великолепное выступление, уверяет, что полностью разделяет вашу позицию. За исключением некоторых мелочей. После перечисления этих мелочей понимаешь, что он не согласен ни с чем и предлагает совершенно другую концепцию. Но воспитанно, культурно, не вызывая сопротивления. После таких выступлений начинается реальный диалог. После наших — начинается склока. Все выпускают пары, потом довольные расходятся, а что нет никакого результата, так не за тем собирались.

Никогда не забуду прием в испанском посольстве в честь визита в нашу страну наследника престола. На прием была приглашена наша интеллектуальная элита: очень продвинутый писатель, очень продвинутый режиссер, очень продвинутый политический обозреватель, главный редактор очень продвинутой радиостанции и не очень продвинутый, но крупный госчиновник. Поначалу ничто не предвещало: официальные речи с одной стороны, официальные речи с другой стороны. Принц, бывший военный летчик, красавец, был безукоризненно аристократичен. Элита адекватно пила и закусывала. Пока его высочество не угораздило задать самый провокационный для русского интеллигента в застолье вопрос: что думают господа интеллектуалы по поводу возможных путей развития России? Вся продвинутая элита, кроме крупного госчиновника, отложила вилки и отставила бокалы. И дальше принц смотрел на меня беспомощным взглядом, а я, как могла, жестами его успокаивала.

Первым выступил очень продвинутый писатель. Он сообщил наследнику испанского престола, что ничего хорошего России не светит, потому что в России нет Гольфстрима. Был бы Гольфстрим, может, что-то и получилось, а без Гольфстрима не получится. Никакой демократии, никакого цивилизованного общества. Удел России — монархия в извращенных формах, поскольку нормальная монархия в России кончилась в семнадцатом году и восстановлению не подлежит. Свои мысли очень продвинутый писатель формулировал емко и образно, но принц ничего не понял. Особенно насчет монархии. И даже пытался возразить, что нынешние царствующие дома, в том числе и его собственный, не воюют с демократией, а вовсе наоборот — изо всех сил с ней дружат и поддерживают.

— В России нет свободы слова! — выкрикнул главный редактор очень продвинутой радиостанции. Но его перебил очень продвинутый политический обозреватель, который заявил, что главная преграда на пути России к прогрессу — коррумпированный режим Лужкова в Москве. На этом месте его высочество вздрогнул: сразу после обеда с интеллектуальной элитой ему предстояла встреча с мэром столицы.

Очень продвинутого политического обозревателя оттеснил очень продвинутый режиссер и долго убеждал его высочество, что Россия катится черт-те куда, потому что денег на кино не дают. Конкретно ему. Без денег не снять кино. Без кино не спасти Россию. Принц тяжело вздохнул и выразил надежду, что с искусством в России всегда все было и будет в порядке, и выразил уверенность в великом будущем страны. На этом прием закончился. Все вышли расстроенные: очень продвинутый режиссер, потому что не понял, дадут или не дадут денег на кино; очень продвинутый политический обозреватель, потому что не добился согласия, что Лужков преступник; главный редактор очень продвинутой радиостанции, потому что не сумел высказать принцу все наболевшее по поводу свободной прессы. Абсолютно удовлетворенным были только очень продвинутый писатель, которому главное было сказать, что без Гольфстрима нам никуда, а ответы его не интересовали; и не очень продвинутый, но крупный госчиновник, который под шумок налакался до блаженного бесчувствия.

Мы не умеем разговаривать птичьим дипломатическим языком. Это сложно, но другого языка в мировом сообществе не понимают. Россия и даже Москва при всей ее развитости — не публичны. В Москве нет ничего из того, что есть в любом европейском городе. В ней нет антикварных улиц. В ней нет галерейных улиц. В ней нет улиц красных фонарей. В ней нет улиц, сплошь состоящих из уютных домашних кофеен. Чтобы человек, в зависимости от настроения, пошел туда, где ему с его настроением будет хорошо. Мы — горожане, которые не привыкли жить открыто. Мы закрываемся в своих каморках, в своих квартирах. Никогда у нас не увидите на летней террасе, даже если это патриархальный квартал, где живут пожилые люди, пожилую даму, которая с такой же пожилой дамой воркует за чашечкой кофе, а рядом стоит сумочка с продуктами. Не увидите седого писателя в углу за барной стойкой, пишущего свой роман, или художника, который что-то рисует на салфетке. Никогда у нас не увидите в кафе одинокого человека, читающего книгу. Ни женщину, ни мужчину. Всегда пары или компания. Для европейца его город — это любимый город, с любимой улицей, с любимым столиком, ему здесь привычно и комфортно. Российский человек будет читать книгу только дома, закрывшись от всего мира. Если я, например, сяду в уголке с книжечкой, — узнают, решат, что рехнулась, не узнают, решат, что кого-то клею. А если это будет пожилая женщина — решат, что у нее несчастье в семье. У нас самые высокие заборы в мире. Такие же заборы только в Южной Африке. Мы — закрытая нация.

Я, наверное, совсем русская, я тоже люблю закрытое пространство. Я обожаю, когда за окном льет дождь, а я на диване смотрю телевизор. Дождь оправдывает одиночество и праздность, в дождь не надо идти на улицу и дышать свежим воздухом, потому что полезно. И дождь словно заслоняет, прячет меня от всех и от всего. В детстве я дружила с девочкой, у которой была своя комната, и я ей остро завидовала. Самой недосягаемой мечтой моего детства была своя комната, своя маленькая крепость. Наверное, нас всех испортил квартирный вопрос. Шесть кладбищенских метров, положенные человеку в Советском Союзе, невозможность уединиться нигде, кроме сортира, привели к идиосинкразии на толпу в национальном масштабе. Отсюда и отсутствие умения общаться ни о чем. Если группу туристов везут в одной машине и перемешались французы, русские, американцы, то русские собьются в кучу, а остальные начнут болтать на всех языках между собой. Мир глобализируется. А у нас клаустрофилия. Многоголосие отношений нас пугает, мы везде пытаемся создать свой микромир.

Каменные гости

Я приехала в конгресс США для обсуждения совместных программ развития малого бизнеса. Это был первый путинский год. Тогда всю внешнюю политику превратили в дружеское похлопывание по плечу и бесконечные дифирамбы на пустом месте. Моим американским коллегой был председатель комитета по экономическим отношениям. Русская делегация, как обычно, молчала, кроме одного, который спорил, но не с американцами, а со мной. То и дело вскакивал и кричал, что с госпожой Хакамадой не согласен. Выглядело это комично. Тема-то общая — как вынуть бабки из американского конгресса, чтобы создать нужные инфраструктуры малого бизнеса у нас, в России. Кстати, еще одна наша национальная черта — мы спорим друг с другом на глазах у Запада.

Американский конгрессмен выступил первым, и все его выступление сводилось к зажигательным дифирамбам: мы одна семья, мы так любим друг друга, у нас подъем отношений. Я ответила, что, да, конечно, мы семья. Но кроме любви есть брачный контракт. Когда женишься, нужно иметь контракт и знать, у кого что в случае развода останется. Тут мне пришлось прерваться: они хохотали как сумасшедшие. Я не ожидала такого эффекта... И разговор сразу перешел в деловое русло: почему из-за новых санитарных стандартов вы, русские, перестали закупать "ножки Буша"? Я объяснила, что качество ваших окорочков никого не волнует. Все и проще и сложнее. Мы вам поставляем сталь, а вы ввели запретительную квоту, и мы в ответ ограничиваем импорт окорочков. Вся кампания против окорочков — искусственная. Мы мстим. Пустите наш металл — мы пустим вашу курицу. Американцы все сразу поняли. Я не имею перед страной столько заслуг, как Трегубова, но металлурги меня благодарили.

Шутка очень много значит. Чувство юмора должно присутствовать у всех, включая президента, без него в международную политику лучше не лезть. Но юмор есть отражение национального характера. А у нас если и шутят, то шутят неожиданно и резко. Тамошний народ, не привычный к нашим убойным шуткам, теряется — что это было? Объявление войны или дефект синхрониста? "Она утонула". Обхохочешься.

Я ни разу не видела на международной конференции, чтобы представители России, выступая не первыми, ссылались, опровергая или соглашаясь, на выступления предыдущих ораторов. Политический истеблишмент Запада бесконечно друг друга цитирует, друг с другом соглашается, спорит и вырабатывает все положенные часы до конца. Не типа — свое отбубнил и, гордый, покинул зал. Им нужен результат. Нам — себя показать. У нас многоуровневая политика, разделение политического труда. Сначала идут официальные ритуальные визиты, а потом взмыленные эксперты сидят и дотрамбовывают документы. Там политика рабочая на любом уровне. И президент и премьер-министр не снимают сливки, а пашут. Это очень бросается в глаза.

В ООН есть пресс-центр. Это единственное место, где кофе подают не в пластмассовом стаканчике, а в фарфоровой чашке. Всех ведущих чиновников ООН, чиновников очень высокого ранга, я видела жующими бутерброды в этом кафе. Жуют и болтают с кем ни попадя. С теми же журналистами. В нашей замшелой Думе никогда не увидишь начальство в столовой для всех. Ни лидеров фракций, ни председателя парламента. Никогда. Свои буфеты, свои лифты. С журналистами разговаривают, или вызывая к себе в кабинет, или на выходе из зала. Но пить кофе, жевать булочки, болтать! Никогда. Там ни у кого нет ни личной охраны, ни мигалок, только у президентского эскорта. Наши повсюду таскаются со своими шкафами, чьи боксерские переносицы не облагородить никакими пенсне. Западная пресса веселится, когда наши чиновники появляются на их раутах и приемах в окружении угрюмых амбалов с трассирующими взглядами. Этим мы и отличаемся.

Высший свет там — предприниматели, банкиры, собственники, голливудские звезды, культурная элита. Все с огромными средствами и доходами. Политики же — наемные работники. Положение обязывает их быть демократичными и мелькать среди народа. Их не сразу отличишь от обычных посетителей кафе. Разве что по породистой стати. Они все высокие, в серых, длинных, очень элегантных пальто, в неброских, но дорогих, идеально сидящих костюмах, и в движениях нет суеты, они чуть медлительнее, чем у остальных. Но не более того. Они не боги, а всего лишь люди, нанятые обществом на государственную службу. А у нас, наоборот, политики нанимают все общество для максимального удовлетворения своих постоянно растущих потребностей. У нас высший свет — не предприниматели, банкиры, собственники, звезды, высшая культурная элита. У нас это политики. У них политик живет, как доктор наук в университете. И тот и другой — представители среднего класса. Магазины, где в розлив продают духи, и одна капля стоит как машина, и где машины стоят как пароход, к политикам на Западе не имеют отношения. Если политик себе такое позволит, его карьера на этом закончится. А по Москве носятся “Феррари” с государственными номерами, и хоть бы хны.

Хотелось бы написать что-то положительное, чтобы не обвинили в идолопоклонстве перед Западом. Но пока нечего. А если что и есть, то политики здесь ни при чем.

Домашнее задание

Тест № 1.

Русско-японские переговоры были провалены российской стороной в первые две секунды, еще до того как участники успели произнести хоть одно слово. Каким образом?

1. Забыли пригласить переводчика.
2. Не позаботились о “зеленой” улице для гостей, и японская делегация застряла в пробке.
3. Диджей перепутал гимны и вместо государственного гимна Японии врубил гимн США.

Правильный ответ:

ни то, ни другое, ни третье. Все намного проще: у главы японской делегации сбился набок галстук, и глава российской делегации попытался по-свойски его поправить. К правителю-азиату нельзя прикасаться руками. Правителя-азиата, приветствуя, нельзя обнимать. Тем более правителя-азиата нельзя расцеловывать, как у нас любят: троекратно, с оттяжкой, взасос. Его достоинство в этот момент убито напрочь. Очевидцы рассказывают, что японец отшатнулся и побелел, как стена. Какие после такого промаха успешные переговоры? Хорошо, что у главы японской делегации с собой не было меча. Иначе неизвестно, чем все кончилось бы. Вот у Тсуда Санцо меч был, и шрам от его удара Николай Второй носил на своей голове всю жизнь. А ведь Николай Александрович, в ту пору еще великий князь, Тсуда Санцо и пальцем не тронул, всего-то ехал мимо в коляске по древнему городу Оцу, но ехал с неправильным выражением лица, без уважительной улыбки, положенной благодарному гостю. Этот случай описан князем Э.Э. Ухтомским ("Путешествие на Восток Его Императорского Высочества государя наследника цесаревича. 1890–1891", СПб, 1893 год), чиновником министерства внутренних дел. Он был специально включен для литературного отчета в свиту цесаревича, совершающего вояж по России и разным странам, которым заканчивался курс наук для наследника русского престола. Самурая скрутили, император Микадо в знак сочувствия и извинения прислал в порт Кобэ три парохода, заваленных подарками, однако Николай инцидент не забыл и, когда России срочно понадобилась "маленькая победоносная война", выбрал Японию, с чего и начались все наши неприятности и катастрофы. Вот так, на минутку расслабился, пренебрег чужой традицией и этикой, и весь двадцатый век насмарку. Можно только догадываться о размерах ущерба, который нанесло стране дипломатическое невежество ее руководителей за последние пятнадцать лет.

Тест № 2.

На высокопоставленном приеме вам возле второго блюда поставили большую фарфоровую плошку с прозрачной жидкостью и долькой лимона. Что это и как с этим поступить?

1. Это чай, значит, его надо выпить.
2. Это вода для споласкивания рук, значит, их надо сполоснуть.
3. Это прозрачный японский суп, значит, его надо съесть.

Правильный ответ:

это шутка, значит, мне хочется вас рассмешить. Хотя жидкость действительно может оказаться супом (в Японии им обед заканчивается, а не начинается), и однажды на моих глазах посольский гость, вовсе, кстати, не россиянин, попытался сполоснуть в нем пальцы. Но с тем же успехом в чашку могла быть налита и вода. Поэтому, если вам подали нечто неизвестное, возьмите паузу и понаблюдайте, как с этим нечто будут управляться другие.

Задачка:

в американском аэропорту на таможенном контроле задерживают двух членов российской делегации, прилетевшей в Штаты на международную конференцию. Один устраивает истерику: "Безобразие! Как вы смеете! Я государственная персона!", отказывается отвечать на вопросы и требует вызвать руководителя их службы, представителя посольства и президента США, с которым "лично знаком". Второй, не выражая никаких эмоций, совершает все перемещения, которые его просят совершить, отвечает на все идиотские вопросы, которые ему задают. Через сколько времени каждого из них впустят в страну, если на проверку подозрительных документов простых смертных граждан американские таможенники тратят около двух часов?

Ответ:

через те же два часа. На чужой территории мы все — простые смертные, и режим проверки будет идти с обычной скоростью, со всеми положенными по инструкции остановками, как бы мы себя ни вели. Так что самое правильное — расслабиться и постараться получить удовольствие.

Побочная тема: *Россия в масштабе один к одному*

1995 год. Я, лидер новорожденной партии "Общее дело", мотаюсь по регионам, собирая голоса. Забираюсь в самые медвежьи уголки, куда только на "кукурузнике", на вездеходе, на дрезине. Усть-Илимск, гостиница, вечер. Местный высокопоставленный чиновник вызывает в гостиничный холл — с вами хотели бы встретиться наши бизнесмены. Нет, не в клубе, а неформально и без сопровождения. Машина ждет. Безопасность гарантирую...

Вылезла из машины — и сердце ушло в пятки: на высоком берегу Лены стоят семь черных шестисотых "Мерседесов". В столице они уже тоже водились. Но не табунами. От капотов отделились и вразвалочку — эх, скольких я зарезал! эх, ско-ольких перерезал! эх, сколько душ невинных загуби-и-ил — двинулись ко мне конкретные пацаны.

Плечи, шеи, цепи, спортивные костюмы фирмы “Адидас”:

— Здрассьте вам наше сибирское... Ну чего, прокатимся на пароходике?

— Н-на пароходике? Прокатимся!

Пароход огромный и пустой. Палуба с сотней кресел. Посередине палубы — стол. На столе — жестяное ведро, в ведре — кровавое месиво: порубленная свежая рыба и лук. Вылили в ведро бутылку уксуса, достали водку:

— Хотим угостить вас сибирской кухней. Это называется чушь.

Налили, замерли, смотрят. Хакамада, вперед! Выпила, закусила. Молча налили еще. Выпила, закусила. Первая рюмка — колом, вторая — соколом, третья — мелкой пташечкой. После ведра чуши и полкило водки мне стало хорошо, а пароход причалил к берегу. Погрузили в “Мерседес”, повезли сквозь тайгу. Главарь лет двадцати восьми, низкорослый, аршин в ширину, с огромным шрамом через бугристое лицо, усть-илимский Жофрей де Пейрак, включил Бетховена. Пятая симфония. Ту-ту-ду-ту... ту-ту-ду-ту — так судьба стучится в дверь. А почему Бетховен-то? Говорят, в Москве все слушают классическую музыку. Чем мы хуже? Решили — тоже будем слушать. И слушаем. Понятно. Решили и слушают.

— А это что? Краеведческий музей? Я никогда не встречала музеев в тайге...

— Нет, это не музей. Это мой второй дом.

— А где первый?

— Ну, есть хозяйство в тайге. Жена с детьми там живут. Чтобы не убили.

Мрамор, позолота, спальня с ангелами, зеркалами и картинами. В бассейне на потолке огромный крутящийся телевизор. Очень удобно: плаваешь и смотришь. Залы для сигар, камины, библиотеки в коврах, с кожаными креслами, но без книг. Чиновник испарился. Денщик с волчьим оскалом подал кофе. И пошел тяжелый разговор. Что за партия? Почему ты ее возглавляешь? Что там в Кремле? Ельцин сильно пьет или в меру? Что нам светит? Когда власть с нами начнет разговаривать? Хотим вести легальный бизнес — не дают. А бизнес у нас серьезный, с бухгалтерами, с менеджментом, работают профессионалы. Ошибок не бывает. Как добились? Очень просто. Сделал работник ошибку, если не специально — простили. Вторую сделал, если не специально — указали. Ну а третью сделал — ликвидируем. Что значит ликвидируем? То и значит. Поэтому у нас очень профессиональные кадры. Мы хотим честно работать. И дети у нас за границей учатся, и жены у нас в порядке, и все у нас хорошо. Мы — большие хозяева. Мы стране много можем пользы принести. Только не надо с нами, как с бандюками. В России все бандиты, все начинали с криминала. А теперь мы другие. И у нас очень профессиональные кадры.

Я сразу начала отвечать на вопросы коротко, тяжеловесно и по существу. Лекций не читала. Наконец на все вопросы ответила, сигареты все выкурила, коньяку, спасибо, не надо, два часа ночи, спать хочу.

В холле гостиницы жму Жофрею де Карлеоне руку:

— Спасибо, все было очень интересно, не каждый день так встретишься...

— Да, не каждый. Только знаете что...

И дальше в течение трех часов этот молодой сибирский крестный отец рассказывал мне о себе, о своих любовях, о своих могилах, о своих призраках, о своих безднах и тоске. Я переминалась с ноги на ногу и не смела прервать. Через три часа он произнес:

— Вот такая она, жизнь. Ну, до свиданья вам. Будьте счастливы...

Нигде, ни в одной западной стране такое невозможно, сколько бы политик ни хлопал по плечу народ, сколько бы народ ни восхищался политиком. Только в России.

Первые месяцы поездок из конца в конец государства Российского мне казалось, что я сплю и вижу многосерийный сон, снятый Василием Шукшиным. Масштаб не осознавался. Потом поняла — это не сон. Это огромная страна, и она фантастичнее любого сна. А в Музее Шукшина я, кстати, была. Заскочили туда мимоходом, без предупреждения. Директор музея долго приглядывалась из своего кабинетика. Приглядывалась-приглядывалась и все-таки опознала. Вы — Хакамада? Почему же без звонка? И тут же организовала экскурсию. А возле музея, прямо у трассы — рыночек. Крестьянки со своими огурчиками, ягодами, картошкой, зеленью, грибами. Я обожаю все эти скляночки, баночки, я всегда мечтала, чтобы у меня был дом с погребом, а там — гроздья лука, бочки с огурцами и мочеными яблоками, наливочки, настоечки. Едва приблизились, баба взглядом из-под платка стрельнула, и без запинки, и без колебаний:

— Ох, девоньки, чудеса-а... Хакамада к нам приехала!

И тут же с челобитной: никак местная администрация не желает рыночек обустроить. И тесно, и холодно, и милиция гоняет. Уж помогите, обязуйте, похлопочите. Я, конечно, вернувшись в Москву, о рыночке на десяток торговых мест за тысячу верст от столицы "похлопотала". Но до чего же неизменна наша так молниеносно изменившаяся страна. Как ждали пятьдесят, сто, двести лет назад московских гостей, чтобы вкрутить лампу в фонарь, убрать мусор, починить избушку, так и ждут: вот приедет барин, барин нас рассудит.

Спираль Мёбиуса

В России время, словно океанская волна, движется по синусоиде. До Урала оно прямо на глазах скатывается вниз: в девяностые, в восьмидесятые, в неведомо какие. А после Урала начинается подъем, и во Владивостоке уже снова 2005-й. Два часа от Москвы — и где-нибудь под Рязанью попадаешь на горбачевскую дискотеку: дощатый пол, стереоколонки, Юра Шатунов, девичьи сумочки в центре круга, солдатики топчутся, группа бритых товарищей в углу. На двери наклеена афишка. Завтра в клубе лекция о вреде алкоголя.

Соскучились по семидесятым? Добро пожаловать в горкомовские гостиницы. Словно двадцать лет назад, на каждом этаже дежурная. В белом халате, точно медсестра. Попросишь принести чашку кофе, включит кипятильник, нагреет воду в поллитровой баночке из-под кабачковой икры, в граненый стаканчик насыплет растворимого кофе и принесет со всем уважением в номер. А принимая номер, проверит, не украдены ли вафельные полотенца. В буфете в Нижнем Новгороде красовалось пожелтевшее объявление о приеме стеклотары. Бутылка из-под кефира — десять копеек, из-под лимонада — двенадцать копеек. Были бы у меня с собой эти бутылки, ни за что бы не отважилась попытаться сдать. А вдруг примут?

Зато в частных нумерах, буквально бок о бок, на той же центральной площади с позеленевшим вождем, безумствует нэп! Тут тебе бронзовые фонтаны, кровати с балдахинами и с бордельными красными покрывалами. Шик и роскошь. Закажешь завтрак, утром вкатят в номер сервировочный столик, а на нем и яичница, и жареная рыба, и миска черной икры, и кусков десять хлеба, и кофе с пенками. Это вам не Санкт-Петербург, гостиница “Ленинград”, где за тридцать евро на белых общепитовских тарелках тебе подадут пять крутых яиц, пять толстых общепитовских котлет, стакан кефира и много-много масла.

В Якутии столбик истории замерз где-то на середине прошлого века. В юртах гранят алмазы, у костров пляшут шаманы. В академическом театре в мою честь был дан концерт. Открылся занавес. На сцене — японский домик с балкончиком, на балкончике местная оперная прима в кимоно ка-а-ак запоет песню на японском языке! Я ощущала себя генеральным секретарем. Зато в Карелии я, действующий депутат, чувствовала себя контрреволюционером-подпольщиком. С народом встречалась в лесу, по-партизански. Выруливали на полянку. А там уже ждали лесорубы, все краси-и-ивые, все молодые, все здоровенные. У них и жбан с водой, и стаканы помыты, и огурцы нарезаны, и шашлык на костре, и скатерть, и разовые тарелочки. Накормили, напоили, на бревнышках за жизнь потолковали — хоп! — в одну секунду все убрали, дверцами машин хлопнули и в разные стороны разъехались. С глаз долой! Чтобы начальство не засекло встречу с оппозицией. В Карелии мне показали дореволюционные фотографии целых семейных кланов, купеческих и крестьянских. Добротные хозяева земли, которые кормили бы Россию. Всех перестреляли, сослали, развеяли. Наша история трагична и глупа. Мы единственные последовательно уничтожали все, что могло сделать страну великой. У нас очень любят цитировать пушкинскую формулу о русском бунте, бессмысленном и беспощадном. Да, он такой. Но это только вторая половина правды. Первая половина заключается в том, что точно так же бессмысленна и беспощадна власть. С той разницей, что бунтуют лишь, когда припекает, когда уже невмоготу. А правят всегда.

У русского народа не сбылась ни одна мечта. Во всей истории России. Ни разу он не зарабатывал, сколько хотел, не ел досыта. По большому счету, никогда не рожал детей, сколько хотел. Не сбылась и самая простая мечта — иметь свой домик, свой участок, свою машину, свою картошку. Поэтому так яростно люди пахали на несчастных шести сотках. Это нереализованная мечта о нормальной собственности. Только у нас возможны эти шестисотки, на которых ничего не растет кроме как в огороде и все смотрят в окна друг другу. Так и не сбылась у народа мечта об уважении властью его человеческого достоинства. Никогда. Его всегда и везде унижали.

— Пшел вон, — говорят униженному и ограбленному народу, — у нас нет для тебя другой власти.

— На нет и суда нет, — соглашается народ, — но тогда не извольте, господа хорошие, гневаться. У меня нет для вас другого бунта.

В Новосибирске после встречи меня подвели к старику. Если бы Шукшин дожил до его лет, он, наверное, выглядел так же. Широкие скулы, раскосые глаза. В унтах, в шапочке. Унты обмотаны тряпками, перевязаны веревочками, и все домотканое. Весь продубленный ветром, солнцем, морозом, всем на свете, весь оттуда, из Древней Руси. Скажи мне, кудесник, любимец богов. Мешочек у него за плечом висит, палочка рядом. И протопал он в своих унтах невесть сколько.

— Ну здравствуй, дочка. Записочку я тут важную написал. Ты ее потом прочтешь, но запомни — не по закону в России надо жить, а по совести. Закон люди сочиняют. Нет у них совести, оттого и законы плохие. А будет совесть — и законы будут хорошие. Ты почитай и отдай туда. А мне пора, однако.

Сунул банку меда и исчез. Вот так бежала, бежала, бежала. Говорила, говорила, говорила. Из региона в регион, из региона в регион. И вдруг остановил старый таежный охотник и сказал обыкновенную мысль, которая на самом деле является главной проблемой России: совести нет.

Где меня только за последние десять лет не носило! То я возвращаюсь в Москву вся в черных оспинах угольной пыли, от которой не спасает никакой скраб, счастливая тем, что не ухнула в пропасть. Шахтеры предложили спуститься с ними в забой. Кто же от такого предложения откажется? А там через бездонный ров, в котором что-то рычит и громыхает, перекинута хилая досточка. У меня с детства проблемы с равновесием, из-за этого лишь в сорок лет осмелилась сесть на велосипед и встать на коньки. Мужики — раз! — и уже смеются на той стороне. Как быть? Вернее, быть или не быть? Плюнуть и вернуться? Ни за что! Я — российский политик или где? Встала на четвереньки и переползла.

То приезжаю домой вся в синяках, со стесанными животом и коленями, опять-таки счастливая оттого, что жива. Это я попарилась в баньке у алтайских отшельников. Они обитают на озере Телецкое, куда добраться можно только на вертолете. Двое бывших ученых из Академгородка, оба — доктора наук. Они не мизантропы, никакого фанатизма, просто не смогли, не захотели приспосабливаться к новому миру, и все. Числятся егерями. У них ни радио, ни телевизора, ни электричества. Костер, котелок, сети и на берегу бурной горной речки собственноручно срубленная банька. В нее-то меня и засунули с инструкцией: попаритесь — и бегите во-он туда, на пригорок. Там ложитесь в реку, она вас понесет, а мы будем здесь, у выемки, вас ловить. Не поймали...

То я возвращаюсь в Москву с ворохом невероятных туалетов. Это краснодарские кутюрье, три ядреные тетки, затащили меня к себе, нарядили в свои рюши, воланы, люрексы, нащелкали и после повсюду хвастались, что Хакамада одевается исключительно от краснодарских модельеров. От краснодарских так от краснодарских. Возражать себе дороже. На юге — народ яростный, артистичный. Российская Италия. Баба рыдает, что на рынке за торговое место дерут столько, что скоро детей будет кормить нечем. Смотришь на нее — большая, розовая, и кофточка сверкает, и рвет она ее как-то очень театрально. Вот он, темперамент! Но загадочная русская душа загадывает свои загадки и здесь. Вот прилетели в Краснодар. Прилетели, сели. Сели, сидим. Час сидим, два сидим. Душно, но почему-то никто не вопит: выпустите нас. На третьем часу, потрясенная кротостью горячих южан, поинтересовалась: а что сидим-то? А трап один на весь аэропорт: очередь. Через четыре — подъехал трап. Летели два с половиной. При этом главный вопрос в Краснодаре — кому отдаете Курилы.

Россия не складывается в единую картину. Ни в какой Америке нет такого многоцветья национальностей, культур, верований. В каждой области, в каждом городке — свой характер, свой ритм, своя аура.

Медлительная Вологда с пирогами, куполами, церквушками. Теперь я знаю, что настоящее вологодское масло — это то, которое в блестящей с желтенькими цветочками фольге. А то, что в нарядных туесках, коробочках, крыночках, — подделка. Мне это объяснили на вологодском молокозаводе. И посетовали, что кефир у них тоже замечательный, а почему-то в столицах не очень идет. Посоветовала написать, что в нем кишмя кишат бифидобактерии, и нарисовать на упаковке фигуристую женщину.

В Нижнем Новгороде народ столичный. Ядреный, развитой и наглый. Как образовался — непонятно. А Самара очень сексуальная. Все светится, все напоказ, все чувственно. Набережная с шашлыками, кофейнями, дискотеками. Иркутск и Томск, резные, изящные, деревянные, погружают в девятнадцатый век. А иркутские художники! Сезанн отдыхает. В Барнауле меня долго угощали и развлекали в мексиканском ресторане. И подарили текилу. Трех видов 25-летней выдержки. Я была в Мексике. Там днем с огнем коллекционную текилу не купите. А в Барнауле — пожалуйста!

В Ингушетии мужчины сидят на корточках около всяких публичных мест и обсуждают большую политику, старейшины смотрят на тебя со своих скамеечек сложным взглядом, а женщины в черных платках, как тени: фырк с одного двора в другой — и нет их. А в соседней Осетии и женщины одеты по-европейски, и на каждом шагу казино. Я в детстве часто гостила здесь у маминой родни. Вот он, Терек, а все не так. Неизменными остались гостеприимство и осетинский пирог. Это не хачапури. Он закрытый, размером с велосипедное колесо, а тесто тоненькое-тоненькое, а внутри или мясо, или рыба, или зелень, и все это запекается в духовке. Из-за осетинских пирогов я в свое время родила сына. Моя тетя, когда приезжала из Орджоникидзе, всегда их готовила. И в тот раз напекла пять или шесть штук и поставила остывать на кухне под льняными полотенцами. Я выползла со своим девятимесячным животом и съела три пирога. Через полтора часа начались схватки. А еще через три часа родился Данила.

В Улан-Удэ я вошла в зал и увидела две сотни Хакамад. У всех на голове мой французский выщип, у всех на лунообразных лицах такое благоговение и обожание, что я оторопела: похоже, Ира, от тебя ждут Нагорной проповеди, а ты как-то не по этому профилю. Их не интересовала моя программа, им было важно, что я похожа на них, а они на меня, и при этом я во-он где, наравне с большими мужиками правлю миром, и по всем приметам, описанным в древних легендах, я и есть та самая царица с восточными глазами, которая должна явиться из северных краев и сделать бурятскую землю счастливой. Я растрогалась, однако от чести баллотироваться в президенты Бурятии благоразумно отказалась.

Угодить в героини народного эпоса — это, конечно, крайность. Но со взглядом на столичную персону как на некую эфирную субстанцию, некое полумифическое существо, чей организм лишен простых физиологических слабостей и нужд, я сталкивалась повсюду. Не знаю, с чем это связано? То ли с безграничным чинопочитанием, то ли с элементарным недомыслием. Наверное, и с тем, и с другим. В одном из городов "красного пояса" меня довели чуть ли не до смертельной испарины. Кодла мужиков в галстуках как взяла в плотное кольцо у самого трапа, так и понесла с реактивной скоростью. Встреча в одном вузе, встреча в другом вузе, с факультета на факультет, из аудитории в аудиторию. В лабиринте коридоров очередного института мне удалось на минуту оторваться от свиты. Я ринулась искать туалет, ориентируясь на запах и интуицию. Нашла и поняла, как важно увеличить финансирование системы высшего образования: все кабинки были без дверей. У меня не хватило духу развлечь общественность интимным зрелищем — популярный политик на горшке. Через два часа, входя в кабинет губернатора области, я уже не считала отсутствие дверей непреодолимым препятствием: какая-то минута позора в обмен на невыносимую легкость бытия! Почему я не родилась птицей? Губернатор меня поприветствовал, я открыла рот, массовка почтительно замерла:

— У вас где-нибудь можно... вымыть руки?

Я закрыла рот. Губернатор дрогнул, но кивнул охране: сопроводите. Охрана сопроводила. А теперь, уважаемые знатоки, внимание — вопрос: куда охрана привела Ирину Хакамаду, если с тех пор Ирина Хакамада высказывает все свои пожелания, в том числе и политические, предельно четко, без лишних метафор и эвфемизмов? Правильно, в буфет, к умывальнику. Никакой другой сантехники рядом не было.

А Калмыкия! Единственная буддистская страна на европейском континенте. Нищета и буддистские храмы с золотыми Буддами в степи. Смотрится величаво. Народ молится и спокоен. Президент — наместник Будды. Его портреты везде. Свою вертикаль власти он строил по образцу великих ханств. Строил и выстроил. Такое тихое, доброе, мирное средневековое ханство в кратере вулкана российской демократии. С кроткими подданными, с почтительно-лукавыми царедворцами. Я была в шахматном городке, любимом детище президента. Меня уверили, что в его дорогих коттеджах отдыхает за копейки трудовой народ. Как ни крутила головой, никаких следов народа не обнаружила.

— А где народ-то?

— Так спит.

— Так уже полдень.

— Так народ восточный, еще не проснулся.

Едешь по Татарстану — дома кирпичные, заборы высокие, дорога нормальная. Затряслись на ухабах — Чувашия. Татары, мусульманские китайцы, от зари до зори копошатся. А чуваши похожи на разгильдяев-русских. Такие же пофигисты. И с удовольствием рассказывают анекдоты об этом своем пофигизме: у чуваша спрашивают, почему татары живут богато, а чуваши — нет. "Потому что татары лук выращивают и продают", — отвечает чуваш. "Ну так и вы выращивайте!" — "А кому он нужен, этот лук?" С чувашскими номерами на машине в Татарстан лучше не соваться. Мы пробивались как сквозь баррикады. При том, что впереди ехала машина с мигалкой. И мигалку подрезали, и гаишников подрезали. Чувашская ГАИ? А нам по фигу. Здесь хозяева мы.

Это провинциальное отстаивание своей особости есть везде. "Когда Колумб приплыл в Америку, чуваш (татарин, калмык, чукча и т.д.) уже сидел с удочкой на берегу, рыбу ловил". Везде местные краеведы убедят вас, что земная цивилизация зародилась именно здесь. А.С. Пушкин ночевал в половине уездных городков, очень впечатлился, и следы этого впечатления можно отыскать практически во всех произведениях поэта. Везде идет борьба за строительство международного аэропорта. Пусть малюсенького, пусть на два самолета, но — международного. Везде есть и свой ипатьевский подвал, и свой святой источник, и своя водка, и она самая лучшая. К слову, о водке и связанном с ней международном мифе об особом русском пьянстве, мифе обидном и несправедливом. Все, начиная от американцев, которые орут и гогочут, если их собирается больше трех человек за столом, так, что от их перекатывания камней в горле звенит в ушах, заканчивая немцами, которые опиваются пивом до остервенения, — все считают себя аристократией, а русских — быдлом, лакающим водку. Мне за границей постоянно предлагают водку. Я постоянно отказываюсь. Мой отказ сначала удивляет, а потом с пониманием кивают головой: а, перепили в свое время? Нет, я никогда не пила водку. Смеются и не верят.

Как-то немецкими авиалиниями летела из Франкфурта в Москву в семь утра. Рядом сел немец. Сразу заказал два коньяка. После двух коньяков заказал четыре вина и заполировал коньяк вином. Потом добавил виски. Стюарды хладнокровно ставили ему и ставили, покуда он не опрокинул коньяк на пол, после чего рыгнул и вырубился. Поднялась вонь и от него, и от коньяка, и я в этом тумане с горя заснула. И совсем другой была реакция, когда двое наших моряков, возвращавшиеся из Судана, усталые, с обожженными лицами, попросили водки. Стюард сделал изумленное лицо: водки? В семь утра? Ее принесли с брезгливым лицом: "Ох уж эти русские"!

Петербург оказался просто другой страной. Питерцы, как японцы, ритуальны, воспитанны, закрыты. В Москве человек, если вас любит, подойдет и возьмет автограф. В Питере — никогда. В Москве, если узнают, рассматривают. Там отводят глаза. Назови подъезд парадной, батон — булкой, и тебя полюбят. Я в это не верила и честно говорила по-московски. На одной из встреч плюнула и назвала подъезд парадной. И все, и сразу стала ближе, почти своя.

Как-то мы с моим петербургским пресс-секретарем решили поужинать в ресторанчике "Саквояж". В поисках его бредем по Малой Конюшенной улице, совершенно безлюдной в десять часов вечера. Она — пешеходная, из нее попытались сделать что-то вроде Старого

Арбата. Вылизали, расставили фонарики, но гулять сюда никто не ходит, потому что кончается она глухим тупиком. Дергаем двери подъездов-парадных, заглядываем в арки, ныряем в колодцы, "Саквояжа" нет как нет. И спросить не у кого. Наконец нам повезло: молодой человек, что-то среднее между Александром Блоком и Родионом Раскольниковым, стоя на тротуаре, старательно мыл окно. Окликнули — обернулся, вздрогнул, пробормотал, что и не такое видел в жизни, и снова завозил тряпкой. Он принял меня за галлюцинацию. Петербург — весь такой. Странный, зачарованный город.

В Нарьян-Маре в маленьком клубе, набитом оленеводами и учителями, ощущение реальности утратила уже я. Думала, будем по-простому. А через десять минут уже не понимала — я где? На краю света или на экспертном совете в правительстве? Москва — не единственный продвинутый город в России. Ничего подобного. В крохотных городках, занесенных пургой, живут уникальные люди. У них есть время размышлять. Они и размышляют. От них возвращаешься, заряженная на сто лет. Не зря же программу воспитания наследника российского престола, начиная с Павла Петровича, завершало путешествие по стране. Из конца в конец. Три месяца туда, три месяца обратно. Конечно, на отборных лошадях. Конечно, в удобных экипажах. Но по тем же российским дорогам, сквозь те же метели, сквозь ту же распутицу, мимо тех же деревень. Зачем? Зачем полгода трясти по ухабам не беспородного депутата — полушка за лукошко, а самого ценного отрока государства, которому не требовалось завоевывать голоса или доказывать, что он достоин царствовать, который получал эту страну по праву рождения? А чтобы прочувствовал.

Тема шестая: *Как я стала госпожой Мамба*

Она была редкой, даже среди высокопоставленных дам, стервой с дурной наследственностью: отец — шпион, дядя — шпион, брат — шпион, мать — не шпионка, поскольку еврейка, и этого уже достаточно. Страдала нимфоманией с примесью лесбийства и комплексом самки богомола, которая, как известно, откусывает использованным партнерам головы: один из ее многочисленных мужей умер, безжалостно лишенный лекарств, а имена любовников неизвестны, что тоже наводит на нехорошие предположения. Владела гектарами леса вдоль всей Клязьмы и Рублевки и вырубила его, чтобы настроить особняков для продажи. В своей алчности не брезговала ничем. Например, обобрала соотечественников в аэропорту Хургады, собрав последние деньги якобы на заправку самолета и тут же потратив их на духи в дьюти-фри. Мечтала уничтожить всех пенсионеров. Охотилась на молодых людей на ночных дискотеках. Жила в стеклянном дворце. Звали ее Ирина Хакамада, с ударением на последнем слоге.

Вот мой образ, который сцедится со страниц российской прессы, желтой уже и от времени. Готовая героиня для триллера "Кремль в кимоно, или Госпожа Мамба". Его и напишет какой-нибудь правнук Караулова или Доценко. А может, они сами — бренды не умирают. В начале своей политической карьеры, прочтя о себе очередную гадость, я нервничала, глотала новопассит, требовала опровержений, потом успокоилась. Газет — море, я — одна. Буду каждый раз нервничать и скандалить, стану тощей, злой и морщинистой. СМИ, как терроризм, в честном бою победить невозможно. Никогда не угадаешь, где взорвется. Приручать бесполезно. Сегодня это либеральная газета или канал, завтра они сменили хозяина, а вместе с ним и все виды ориентации. Кто платит ужин, тот девушку и танцует.

Но прессу можно перехитрить и нейтрализовать. Основной метод — работа на опережение: дверцу шкафа распахиваешь, спрятанный за ней скелет вытаскиваешь наружу и демонстрируешь его кому ни попадя, пока от вас обоих не начинают шарахаться. О том, что я — наполовину японка, а мой отец — ортодоксальный коммунист, я тупо повторяла повсюду и добилась, что теперь эта подробность моей биографии никого не возбуждает, кроме пожилых сталинисток. Еще пример. Накануне выборов летом 2002 года мне в панике позвонил Немцов:

— Я подвел партию!.. Другая женщина!.. Двое детей от другой женщины!.. Журналисты пронюхали!.. Избиратели не простят!..

В общем, "все пропало, гипс снимают". Я посоветовала оперативно исповедоваться на страницах какого-нибудь бульварного органа: да, согрешил, но согрешил любя. Потому что для русского человека любовь оправдывает все. Тем более так и есть? Так и есть. Детей любишь? Люблю. Всех любишь? Всех люблю. Матерей этих детей любишь? Люблю. Всех любишь? Всех люблю. Ну и вперед! Немцов послушался, и его политический рейтинг тогда не пострадал: скандал в благородном семействе занимал читателя не дольше, чем любая дежурная сенсация "Комсомолки". До свежего номера.

Публичное покаяние у нас вообще приветствуется. Поднимись на помост, поклонись в пояс: "Простите меня, люди добрые!" — и они простят. Во-первых, потому что добрые. Во-вторых, отчего же не простить чужие личные грехи и слабости? Чувствуешь себя немножко Богом. Это льстит. Особенно лестно, когда простить просит не дядя Вася из соседнего подъезда, а один из тех, кто болтается там, наверху. Значит, он, как и ты, грешен и слаб. Это сближает. Тем более сегодня в России гласность от долгого воздержания перепутали с нравственностью. Не тот честен, кто не ворует, а тот честен, кто не скрывает. Признайся, и тебе поверят. Признайся, и за тебя проголосуют, как за порядочного человека. Не в чем признаваться? Не обессудь, будем подозревать во всем. Поэтому нашим политикам рекомендуется время от времени в чем-нибудь признаваться. Для сохранения доверительных отношений с массами.

С газетчиками у меня все более или менее наладилось, когда я перестала путать интервью с докладами и усвоила, что журналисту не нужны пространные рассуждения, а нужны яркая фраза и конкретная ключевая мысль. Можно битый час распинаться о свертывании свободы слова в России, о телевизионном зомбировании, о нравственном СПИДе, распространяемом желтой прессой, и предложить акцию: выключить телевизоры и не покупать желтую прессу. Про акцию запишут все, про свободу слова — никто.

Камень, ножницы, бумага

Телевидение — самое вероломное из СМИ. Его главный инструмент воздействия — изображение. Есть тысячи способов перекроить на экране красавицу в чудовище, умного в дурака. И оно ими пользуется. Наедет камера на лицо человека так, что нижняя челюсть заполнит весь кадр, и о чем бы он ни говорил, зритель не воспримет ни слова. Он будет следить за артикуляцией, выискивать во рту коронки, рассматривать поры и прыщики. Президента никогда не возьмут крупно, все обращения — только на нейтральном среднем плане, чтобы картинка не забивала текст. На канале у Невзорова меня упорно пытались снимать снизу. Оператор садился на корточки, чуть ли не ложился на пол. Моя пресс-секретарь врывалась на площадку и требовала сменить ракурс. Ее посылали и продолжали пластаться у моих ног. На профессиональном сленге этот негативный ракурс называется "поза памятника". С его помощью создается образ каменного монстра.

Чтобы поколебать веру зрителя в чьи-то заявления, обещания, разоблачения, достаточно журналисту вместе с камерой занять такое положение, чтобы тот, кто заявляет, обещает, разоблачает, находился чуть ниже камеры и был вынужден смотреть в объектив или исподлобья, или снизу вверх. И, какими бы волевыми и правдивыми ни были лицо и интонация, по ту сторону экрана возникнет ощущение неубедительности, скрытности и неуверенности. Ослабить впечатление от выступления можно, убрав из кадра оратора на самых острых и ударных высказываниях, а вместо него дав зал или панораму окрестностей. Внимание, естественно, переключится на свежую картинку, а человек будет сотрясать воздух, не подозревая, что сотрясает его впустую. Незаметно влияет на отношение к персонажу и размещение внутри кадра. Вас сдвинули влево, так, чтобы на экране вы оказались напротив зоны сердца телезрителя? При прямом обращении к нему вы будете рождать в нем, о чем бы ни говорили, невольную тревогу и желание защититься. И не надо никакого двадцать пятого кадра. Те, чьи речи и правота не должны вызывать сомнения, всегда сидят строго по центру. Это место для державных поздравлений, проповедей, отречений, Глеба Павловского и Михаила Леонтьева.

Особая привилегия телевидения, которая развязывает ему руки и позволяет творить чудеса фальсификации, — право выпускать программы на экран, не визируя их у тех, кто в них снимался. Газеты обязаны перед публикацией согласовывать свои интервью с теми, кто им эти интервью давал. А телевидение не обязано. Зачем визировать подлинный документ? Вот перед вами человек, он сам говорит свои слова. Ну и что же, что на монтаже кое-что вырезали, а то, что осталось после кастрации, так удачно склеили, что вместо обвинительной речи получилась защитная, или наоборот, или не получилось вообще никакой. Главное, чтобы на стыках голова не слишком заметно дергалась. Хотя и это не вопрос: все швы отлично маскируются перебивочками, панорамочками, каким-нибудь пикантным крупнячком. Например, товарищ рассуждает о преобразовании страны, в котором он намерен принять самое деятельное участие, а камера — раз! —

и сосредоточится на стариковских кальсонах, выглянувших из-под брюк. Какие тебе, дедушка, преобразования? Сиди уже на печи, о душе думай.

На телевидении нельзя расслабиться ни на секунду. Любое неосторожное движение подкараулят, зафиксируют и доведут до гротеска. В обычной жизни мы не замечаем, как кто-то почесал нос или снял с кофточки пылинку. А тут сняла эту проклятую пылинку один раз, а на монтаже тебя заставят обираться всю передачу, повторами превратив случайный жест в хрестоматийный симптом психопатии. В парламенте часто сверху снимали скрытой камерой. Заснул депутат — его тут же запечатлели и выдали в эфир. Народ хохочет и возмущается. А посиди-ка целый день, послушай-ка бешеное количество законов, большая часть которых не по твоему профилю. Вот они и вырубаются, бедные. Да и над кем смеетесь? Над собой смеетесь. Стараниями журналистов российский парламент выглядит как филиал программы "Аншлаг" — сборище клоунов и идиотов, которые непрерывно дерутся, зевают, ковыряются в носу. Но парламент потому так и смешон, что он открыт. Как ковыряют в носу в Белом доме, никто не видит. Попробуй туда попасть: аккредитация, регламент, строем зашли, по команде включили камеры, по команде выключили, строем вышли, чугунные ворота захлопнули — и до свидания. А если снимите что-то не то или не так, завтра снимут и вас, и того оператора, и того редактора. Увольняют и за меньшее — за неудачный ракурс, за невыгодный свет. В Кремле ворота еще выше и что в носах — еще загадочнее.

Меня в парламенте спасало то, что я со времен работы в вузе умею спать с открытыми глазами, и если на секунду отключалась, от неподвижного взгляда казалась особенно вдумчивой и сосредоточенной. С чем безуспешно боролась и борюсь, так это с привычкой, когда мне совсем уж скучно, рассматривать ногти и опускать голову. Щеки сразу стекают, вид мрачный, постаревший. Спохватываюсь — подыми веки, Ирина, подыми себе веки! — а уже поздно: довольный оператор отводит объектив.

На Западе у публичных персон отточено каждое движение. Они никогда не сядут на студийной программе в фас к журналисту и в профиль к камере — исчезает объем, из кадра откачивается воздух, человек становится плоским, как бумажная аппликация. Всегда анфас, всегда чуть-чуть боком. Они никогда не позволят засунуть себя между двумя ведущими, чтобы не мотать головой, словно лошадь на привязи. В 1992 году, муштруя нас, молодых российских политиков, американские политтехнологи твердили из занятия в занятие: плевать на то, о чем вас спрашивают. Вы в эфире не для того, чтобы удовлетворить журналиста. Пусть себе жужжит. Вы в эфире для того, чтобы общаться с миллионной аудиторией, которая в этот момент жует, целуется, ссорится, пьет, болтает по телефону, моет посуду. Поэтому на телевидении не надо никакой философии, никакой зауми, на одно выступление — одна мысль, а лучше не мысль, а слоган, который вбиваете в зрителя, как гвоздь.

Действительно, что бы ты ни говорил по телевизору, главное — образ. В свое время в Америке проводились первые дебаты между двумя кандидатами в президенты. Никсон против Кеннеди. Они транслировались по радио и телевизору, и отсчитывались рейтинги. Кеннеди сделали загар и надели ярко-голубую рубашку под цвет глаз. На экране он выглядел голливудской мечтой Америки — загар, молодость и красота. А Никсон был очень умным, но намного старше и не такой телегеничный. В дебатах на телевидении с огромным отрывом победил Кеннеди, а на радио победил Никсон. В безоговорочной доминанте визуального ряда над смысловым я убедилась и на собственном опыте.

В 1993 году в московских округах уже появилось кабельное телевидение, и мой предвыборный штаб заключил договор с орехово-борисовской студией. Передачи шли в прямом эфире по самому незамысловатому сценарию. Сначала я очень, как мне казалась, доходчивым и простым языком знакомила зрителей со своей депутатской программой: я собиралась сражаться за то, чтобы мамы получали от государства пособия в размере средней заработной платы, поскольку воспитать ребенка — такой же труд. А потом зрители должны были звонить и задавать свои вопросы. По теме выступления, которая злободневна для многих. Они, действительно, звонили, но волновали их совсем не пособия: а почему я всегда в черном? У меня — траур? А кто я по национальности? А где я прописана? Я поняла, что меня не слышат и не хотят слышать. И тогда мои ребята придумали ролик и дешевый, и сердитый. Они посадили меня на фоне российского флага. Сзади, чтобы флаг трепетал, на него дули феном. Я застывала в профиль, за мной развевалось знамя, звучала бравурная музыка типа марша "Прощание славянки". Я была похожа на Мао. Музыка смолкала, я поворачивала голову и чеканила лозунг: "Я за то, чтобы женщины получали пособие, только тогда Россия возродится". И все. Натуральный агитплакат советской эпохи. И рейтинг пополз вверх!

У нас этой техникой гениально владеют Жириновский и Зюганов. Заявленная тема не волнует ни того, ни другого. И с ограничения стратегических вооружений, и с экологической катастрофы, и с профессиональной армии Зюганов через две минуты свернет на "растоптанную страну, уничтоженную антинародными реформами", а Жириновский сразу начнет выкрикивать то, с чем пришел. Позвали поговорить о живописи? Какая, к чертовой матери, живопись, когда мусульмане рожают, а мы не рожаем? Русские бабы — вон из политики!

Все — в койку, все — на кухню, все — рожать! Россия — великая страна! Никакой демократии! В койку и рожать! Ты, ты и ты с грудями в рюшках — быстро встали и поехали отсюда ложиться в койку и рожать! Деньги на такси возьмете у Чубайса...

Это правильно. Это действенно. Но я так не умею. Да и не хочу.

Во время газетных интервью у меня получается держать в уме, что я разговариваю не с журналистом, а с аудиторией, которая будет читать. Но в телевизионной студии это очень трудно. Там я забываю, что на меня смотрят миллионы, и начинаю спорить с собеседником, начинаю оправдываться перед ним, начинаю на него обижаться. Иногда, когда оппонент — умелый провокатор, на меня даже накатывает ярость. Температура понижается, сердце бухает медленно и тяжело, оно увеличивается, заполняет все тело, я начинаю говорить в его ритме — медленно и тяжело, с ельцинскими фирменными паузами. Они у Бориса Николаевича были очень длинными и действовали сокрушительно: "Я дума-аю... будет... так..." — и все, и пауза, и тяжелый взгляд. Народ цепенел и превращался в огромное ухо, которое пытается услышать — как же будет? Во вменяемом состояния я пользуюсь этой техникой на радио в персональных интервью. На телевидении оппозицию пускают только на дебаты, чтобы, с одной стороны, добиться иллюзии демократии, а с другой, не улучшать имидж: дебаты — это всегда спор, и на них сам жанр создает образ агрессивного человека. Спорить, удерживая голос в нижнем регистре и соблюдая паузы, мне сложно. Но если я впадаю в ярость, в какую-то секунду мозг отключается, включается подсознание, и нужный эффект достигается автоматически.

У меня был классический случай на “Барьере” у Соловьева. Моим противником был Рогозин. Он талантливый оратор: складненький, энергичный, глаз веселый, горит. Я не раз сталкивалась с ним на дружеских пирушках. Свой парень, все знает, все понимает, очень светский, не хочет никаких революций, никаких трагедий, не рвет на себе рубаху, желает буржуазной жизни и любит посещать иностранные государства, прежде всего развитые и демократические, которые захватывают Россию.

Я рассчитывала на жесткую, но красивую идеологическую дуэль. И вдруг на меня хлынул поток чернухи. Меня обвинили во всех грехах перестройки: в приватизации, в шоковой терапии, в дефолте и в том, что я меняю партии, как кофточки, а кофточки мне не идут, мне к лицу кимоно. Ни смысла, ни содержания, сплошные эмоции и хамство. Рогозин напирет, я молчу. А что делать? Мой голос выше, такого большого Рогозина мне не перекричать. Остается ждать, пока он выдохнется. Когда же он наконец устал, меня хватило на фразу:

— Вы занимаетесь демагогией, вместо того чтобы разговаривать по существу.

Так себе фраза. Вялая, никакая. На этом первый раунд закончился. В перерыве я сидела и тихо умирала. Единственное, за чем следила — за спиной. Чтобы была идеально прямой. Идеально прямая спина обеспечивает спокойное выражение лица. Попыталась еще и улыбнуться. Не получилось. Прозвенел гонг на второй раунд. Я вернулась к барьеру. Рогозин — тоже. Энергичный, отдохнувший, довольный. И тут меня накрыло. Говорят, я несла что-то про националистическую морду, которую растопчут сапогами три миллиона моих избирателей, про мужиков, которые достали всех в политике и которых надо гнать из нее поганой метлой. В общем, ни содержания, ни смысла, сплошные эмоции и хамство. Точь-в-точь Дмитрий Олегович в первом раунде. Все хамы совершенно теряются от зеркального хамства. И Рогозин растерялся. Что-то снова промычал про Гайдара и Чубайса. Я развернулась и пошла с ринга. Соловьев опешил:

— Ира, вы куда?

— За Гайдаром и Чубайсом.

Зал зааплодировал. Потом при монтаже все это вырезали. Жаль, интересно было бы посмотреть на себя со стороны в таком состоянии. На кого становлюсь похожа? Друзья уверяют, что на пантеру. Враги — что на базарную бабу. Лучше, чтобы на пантеру. Я обожаю этого зверя. Иногда мне очень хочется в него превратиться, как Настасья Кински в фильме "Люди-кошки". Ну хоть на минуточку. Одним прыжком мягко взять высоту. Преодолеть тяжесть собственного тела.

Аплодируем, аплодируем... кончили аплодировать

Наши журналисты — неизлечимые зануды. Одни и те же вопросы из года в год, из интервью в интервью. Список этих вопросов куцый, как тюремное меню. Их задают и матерые волки, и клонированные овцы:

— А вы ребенка видите?

— А если выбирать между семьей и работой, что для вас важнее?

— А женщина в России может стать президентом?

Вечная убогая вариация на тему "женщина и политика — две вещи несовместные". Класть асфальт? Пожалуйста. Бороздить космические просторы? Пожалуйста. Ловить преступников? Пожалуйста. Снайпер, укротительница, военный репортер? Пожалуйста. А в политику — извини. Потому что власть. Однажды последний вопрос мне задал в программе "Времена" Владимир Познер, наш свободный, как гербовый орел, ВВП российского телевидения. Я привычно поставила заезженную пластинку про многовековую традицию женского правления в стране, про княгиню Ольгу (между прочим, ввела христианство), про Елизавету Петровну (между прочим, отменила смертную казнь), про Екатерину Алексеевну, чье самое долгое в русской истории царствование — тридцать три года, между прочим, назвали "золотым веком". Владимир Владимирович меня прервал:

— Что вы заладили — Екатерина Великая, Екатерина Великая... Она мужа убила!

Я бы решила, что в этот момент он себя представил покойным императором, которому похотливая немка не дала поправить страной, если бы не заметила, как на красивом породистом лице мелькнула и тут же спряталась мальчишеская улыбка.

Леонид Парфенов — единственный, кто заложился в памяти как виртуозный интервьюер. Я пришла к нему на программу за полчаса до полуночи и за полчаса до окончания парламентской кампании. Напряженная, злая, зацикленная. Он предложил мне прилечь на диван. Я послушалась и... поплыла. Мы о чем-то болтали, о чем-то душевном и далеком от идеологической борьбы, бюллетеней, электората. Под занавес он задал незатейливый вопрос о моей мечте. И я выдала:

— Всю жизнь мечтаю, чтобы ноги были длинные-длинные, а волосы белые-белые, а глаза голубые-голубые, а талия — во-от такусенькая, а грудь — во-от такущая. Но ничего этого нет. И никогда не будет.

Это был класс: так расслабить политика на финише предвыборной гонки!

Самый безобидный жанр — ток-шоу для домохозяек. Все они посвящены горькому открытию, что мужчина — совсем не то же самое, что женщина, и тому, как с этим его пороком бороться. На этих передачах есть свой шоколадный набор вопросов, от которых меня уже тошнит:

— Кто из политиков кажется вам наиболее сексуальным?

Кого-то назови — тут же запишут в любовники. Не назовешь никого — обвинят во фригидности. Правильный ответ: Владимир Владимирович Путин. После него сразу отваливают и ничего не уточняют.

— А кто моднее всех одевается?

— Опять же он, наш президент. Вы не согласны?

Все согласны...

Становиться завсегдатаем этих лавочек-кушеток не рекомендую. Есть и черный список программ, в которые меня ничем не заманишь. Во-первых, это все передачи формата замочной скважины. Во-вторых, всякие разные интеллектуальные игры и соревнования с профессиональными эрудитами. Проиграешь, причем проиграешь объективно: для них же это работа, они с утра до вечера тренируют свою и так нехилую память. А народ решит:

дура. С некоторых пор список пополнили именинные циклы. Кажется, почему нет? Ты — царица праздника, замечательные личности говорят о тебе полтора часа кряду замечательные слова. Да к тому же в прайм-тайм. Но обратите внимание — разных юбиляров целует, поздравляет и по старой дружбе для них поет, танцует и хохмит одна и та же концертная бригада. И если ваше представление об имениннике никак не совпадает с заявленным кругом друзей — "вроде интеллигентный человек, а водится бог знает с кем", не торопитесь разочароваться. Скорее всего эти люди в действительности не имеют к нему никакого отношения. Их ему навязали.

Со мной ровно так и было. НТВ придумало программу "Юбилей". Я долго не соглашалась в ней участвовать: день рождения не то событие, которое приводит меня в восторг. Уговорили и тут же стали пихать мне бешеное количество попсы в качестве гостей-приятелей. Я возразила, что, во-первых, попсу не переношу, во-вторых, ни с кем из приглашенных господ не приятельствую. Я люблю рок. Позовите роковых музыкантов. Не позовем — ответили мне. Почему? Рейтинг. Ладно, а можно меня поздравят Артем Троицкий и Антон Ланге? Нельзя. Пусть приходят, но молчат. Они — никто. Как "никто"? Для кого "никто"? Для нашей зрительской аудитории. Но я хочу, чтобы нормальные люди увидели, какие у меня умные, интересные, разные друзья! А при чем тут вы? Действительно, ни при чем. До свидания... После моего отказа передачу не отменяли до последнего. Не могли поверить, что оппозиционный политик, для которого эфир необходим как воздух, способен всерьез заупрямиться. А вот легко!

Скажу больше: если экран — не профессия, без цели и нужды туда лучше лишний раз не соваться. Замотают, затаскают, выпотрошат. Телевидение — это фабрика грез прежде всего для тех, на кого направлены его камеры и софиты, кто дышит его парами. Оно — наркотик двойного действия. Тебя слушают, цитируют, опровергают, люди помнят твое имя, а порой и отчество, бутики сражаются за право тебя одеть, фитнес-клубы — раздеть, а незнакомые граждане, поймав за рукав, спрашивают о смысле жизни и напряженно ждут ответа. Надо обладать незаурядным психическим здоровьем и самоиронией, чтобы не проникнуться ощущением собственного величия. Звездность как глисты. У огромного количества людей они есть, но люди этого не знают. Даже анализ не показывает. А человек полнеет, нервничает. Тоже и со звездностью. Ею заболевают незаметно. Первый симптом: когда во всех компаниях, даже если это новогодний вечер, вы рассказываете, где вас снимали и куда еще приглашают. Не к месту, не по делу, насилуя всех окружающих. Можете поставить трехчасовую кассету с записями своих интервью. Попытки сопротивления расцениваются как зависть. Второй симптом: вы боитесь остаться в тишине, если телефон не звонит два часа — начинается депрессия. Он должен звонить каждую секунду. Третий симптом: в ваших неудачах виноваты все, кроме вас. Четвертый симптом: в публичных местах следите за тем, все ли вас узнали, все ли вас заметили. Очень удивляетесь и огорчаетесь, если никто не узнал и не заметил. У того же Кости Борового крыша улетела на пустом месте. Талантливый мужик — и грохнул все. За телевизор, за известность.

Несколько конкретных советов.

а) Не складывайте руки на груди, когда вас снимают. Это удобно, это защита. Но нельзя.

б) Даже в дикую жару не появляйтесь в эфире без рукавов. Руки должны быть прикрыты.

в) На пиджаке нужно расстегнуть хотя бы одну пуговицу. Не обязательно, подражая президенту, расстегивать ее демонстративно, в кадре. Лучше сделать это заранее. Все-таки когда женщина под светом софитов что-то на себе расстегивает, пусть даже невинную пуговицу на невинном пиджаке, это отвлекает.

г) Очень важно правильно держать ноги. У нас их или расставляют, как в спорте, или закидывают одна на другую. Нет, их нужно скрестить по-балетному и отвести в сторону. Я знала это давно. Я обращала внимание в кино и на журнальных картинках, как сидят жены президентов. Нельзя сидеть на животе. Тогда на картинке на переднем фоне будут ноги, а над ними сразу лицо. Спину выпрямили, плечи расслабили. Это сразу даст осанку. Как-то в безденежной молодости меня занесло в очень мажорную компанию. Все девушки были в дорогой фирме, а я — в китайской лапше, юбочке в клеточку, с пучком и в очках размером с водолазную маску в пластмассовой оправе. Типичная училка младших классов, хотя в действительности была уже доцентом и преподавала политэкономию. От перенапряжения, защищая свою бедную гордость и честную бедность, я идеально выпрямила позвоночник, сложила колени, а когда нужно было встать, то выкручивалась из кресла королевской коброй — медленно и плавно. И золотые мальчики, забыв про своих золотых девочек, следили за мной, как завороженные!

д) Упаси бог болтать ногой!

е) Перед началом записи не лишнее потребовать показать ваше изображение на мониторе. Оно может совершенно не совпадать с тем, которое улыбалось вам из зеркала в гримерной. В кадре лицо рисует не визажист, в кадре лицо рисует осветитель. Мазнул где надо тенями и состарил вас на сто лет: вместо панночки на экране ведьма.

ж) На ток-шоу главное — не надеть короткую юбку с высокими каблуками. Гостей, как правило, сажают на низкие мягкие диванчики. В них утопаешь, колени, блокированные каблуками, торчат, как у кузнечика, а подол съезжает за критическую линию бедер. И будешь его одергивать, точно старшеклассница на педсовете. Со мной такой конфуз случился во время визита с Ельциным в Италию. Днем по протоколу в длинном ходить не положено, и на прием к президенту Италии я явилась в маленьком шерстяном костюме с юбкой чуть выше колена. Никто же не предупредил, что это будет приватная встреча на пятерых (два президента, Ястржембский, Немцов и я) в глубоких креслах вокруг журнального столика! Ельцин хмыкал, Немцов старательно смотрел строго перед собой и краснел. Это не от чрезмерного целомудрия, просто мои колени уже вышли ему боком. Когда я только стала председателем госкомитета и была церемония представления нового министра, представлял Немцов, тогда вице-премьер, и в какой-то момент моя юбка точно так же сдвинулась, а Борис Ефимович автоматически скосил глаза. Папарацци щелкнули затворами, и фотография Немцова со скошенными на ноги Хакамады глазами обошла всю прессу... Реабилитировалась я на аудиенции у папы. Жена и дочь президента оделись — одна в розовый, другая в голубой костюмы, я же облачилась во все черное и длинное. И когда меня представили, папа приподнял свою голову мудрой черепахи и по-русски произнес:

— Ма-ла-дец...

Потом все журналисты допытывались: почему он так сказал? Почему, почему... Потому что!

Приложение: *за стеклом*

Интервью-сюита ("Собеседник", "Плейбой", "Крестьянка", "Новая газета", "Ветеран", "Экспресс-газета", "ТВ-Парад", "Столичные люди", "Новые известия", "Зебра", "Бьюти", "Домашний очаг", "Смена", "Общая газета" и т.д.), 1995–2005 гг.

Концерт в консерватории. Спиваков играет Брамса. Я сижу в седьмом ряду. Передо мной усердно пытается не заснуть пара. Она вертит в руках мобильный телефон и постоянно перекладывает с коленей на кресло черную папку. Он то и дело поправляет темные очки и роскошные длинные каштановые кудри. Оба красивы немного расхожей красотой по-американски. Неоновый отлив очковых дужек мужчины удачно гармонирует с неоновым блеском телефона его спутницы и оттенком ее портфеля. Дело кончается тем, что он надвигает темные очки на глаза и опрокидывает голову на спинку кресла. Женщина внимательно смотрит на него, потом на сцену и с тем же выражением обязательного блаженства следует его примеру.

После концерта мы сталкиваемся в проходе. Я понимаю, что дама — Ирина Хакамада. Ее спутник поражает меня до глубины души. Я не ожидала увидеть подобного мужчину, помесь Арамиса с

Атосом, воображая "мужа Ирины Хакамады". Как ни крути, это звание. Менее всего для него подходят поэтичные волосы до плеч и внимательный взгляд.

У вашего мужа не возникает комплекса "мужа знаменитости"?

Да нет, его ведь не знают... А если у него вдруг возникает желание самоутвердиться, он мне говорит: "Ира, ты похожа на обезьянку, которая крутит шарманку и вытаскивает счастливые билетики для других. Со мной тебе повезло. Ты вытащила счастливый билетик для себя. Помни об этом! Больше никто с тобой жить не сможет".

После такой цитаты хочется спросить: у вас нормальные отношения с мужем?

Замечательные...

"Больше никто с тобой жить не сможет"... Ваш муж обречен идти на компромиссы?

Что вы! Он у меня бешеный!

Если вы закончите карьеру политика, чем займетесь?

Ну, например, стану стилистом или модельером...

Артем Троицкий о вас сказал: Ира очень здорово одевается. Для нее очень важна фактура ткани. Большинству модников глаза застилают крой, фасон, расцветка. Цветовая гамма ее одежды всегда очень приглушенная. Далекая от цыганских идеалов. Но ткань всегда очень интересная. Это лен, это шелк, это шелк грубой выделки, хлопок грубой выделки, что является в мире моды высшим пилотажем. Произвести впечатление раскраской может каждый дурак. И каждая дура. А не привлекать внимания и обнаружить шик при детальном рассмотрении — это редкость. Если бы меня попросили составить список самых стильных русских женщин — Ирина вошла бы в пятерку. Если исключить тех, кому должно одеваться по службе — модельеры, дизайнеры, актеры, певицы, если выбирать из людей, которые не имеют никакого профессионального отношения к шмотью, она и вовсе оказалась бы одна. Когда вы научились одеваться?

Когда занялась предпринимательством и появились лишние деньги. Но еще два года назад я накупила в Америке такого!

Какого?

Короткий пиджак из фланели с молнией наискосок. Красные туфли на огромной платформе. Черную мини-юбку и маленькую сумку из того же материала, что и пиджак. Когда я дома все это на себя надела, то поняла, что совершила глупость. Слишком ярко, слишком вульгарно.

Вы носите дома халат?

Никогда. Широкие брюки и свитер. Причем свитер, не списанный из активного гардероба, а самый что ни на есть модный.

Что, на ваш взгляд, должно быть в гардеробе настоящего мужчины?

Три комплекта. Джинсы и спортивного стиля пиджак. Деловой костюм. И, конечно, смокинг. Мужчина, который не умеет носить смокинг, не может считать себя “мужчиной-люкс”.

А в гардеробе женщины?

В гардеробе любой женщины должны быть четыре обязательных элемента: вечернее открытое платье, вечернее закрытое платье, обычный деловой и деловой брючный костюм, джинсы. А вообще женщина, не заплывшая жиром и комплексами, может напялить на себя что угодно. Здесь нам позволено намного больше, чем мужчинам. Если мужчина наденет на прием в посольство костюм, купленный за 80 долларов, это заметят все и это очень плохо, пусть даже костюм нормального цвета и сидит идеально. А женщине разрешено хулиганить. Я, например, когда презентовала новую коллекцию духов "Пуазон", нарядилась в черное платье фирмы "Чин-чин", простое как бревно, с разрезом, застегнутым гигантской булавкой, купленное мной в каком-то подвальчике за пятьсот рублей. И ничего. Прошло на ура. Даже удостоилась комплимента от французского визажиста.

А недавно хапнула от жадности в ночном магазине на Тверской джинсы за тысячу рублей. Они были специально короткие, под сапоги, как сейчас модно, и застегивались на огромную, размером с кофейное блюдце, пуговицу. Эта пуговица поразила мое воображение. Дома померила и не влезла! Вечером пожаловалась на неудачную покупку приятельнице. Она из тех, кто одевается со вкусом, но дорого. Ей джинсы пришлись впору и страшно понравились: "Какой класс! Беру. Сколько? Триста долларов?". Когда же я назвала цену, подруга сразу сникла и потеряла к штанам всякий интерес. Я этого не понимаю. В моем гардеробе мало дорогих тряпок. Разве это мне мешает быть стильной?

Вам — нет. Как, на ваш взгляд, должна выглядеть старшеклассница?

Во-первых, минимум макияжа. Краска нужна тогда, когда у вас не в порядке прическа.

Я поняла это по себе: чем более стильной становилась моя голова, тем меньше краски оказывалось на лице. Не нужно никаких щипцов и бигудей. Надо, чтобы волосы были живые, блестящие, но легли как надо. Найти хорошего парикмахера дорого и сложно. Но девочки из родителей вытягивают бешеные деньги на французскую помаду, лак, подводку для бровей. На этом можно сэкономить и вложить деньги в стрижку. И не слушайте никого, кто говорит, что голову надо мыть раз в неделю. Голову надо мыть каждый день.

Меня раздражает, когда юная девушка идет в мини-юбке и на каблуках. Сейчас модно ходить с обнаженной поясницей. Брюки на бедрах, юбки на бедрах, майки в обтяг и короткие. Это делают все подряд. Пережатые брюками жиры, сверху три складочки, сдавленные маечкой. И думают, что выглядят сногсшибательно. Холодно, дует, придатки. А я бы на месте такой девушки плюнула, надела бы брюки чуть пошире, майку подлиннее. Мне очень нравится, как одеваются английские подростки: широкие джинсы, бесформенные рубашки, сверху большие свитера, рукава которых почти закрывают кисть. Всякие фенечки, примочки. Если фигура плохая — эта одежда скрывает недостатки. Если хорошая — сразу видно, что на идеальной фигурке висит бесформенная рубаха.

А манере разговаривать вас кто-нибудь учил?

В юности я была косноязычнее Черномырдина. У того хоть остроумно получается, а у меня совсем никак. На своем первом экзамене в вузе я не могла связать двух слов, хотя все знала. Покрякивала, вздыхала. Преподаватель поставил пять, но сказал: учитесь, пожалуйста, говорить. Есть один способ — начать говорить. На следующий же день я начала на всех семинарах поднимать руку. Сначала надо мной ржали. А через год я выступала на конференциях, легко и свободно. Это потом определило мою профессию.

Если вы закончите карьеру политика, чем займетесь?

Я попытаюсь стать политическим аналитиком.

Время над вами не властно. Как вам это удается?

Я из тех женщин, которые медленно взрослеют. Оттого, наверное, и старею медленно. Но если вы о пластике — никогда не делала. Она и не требуется, когда есть правильное самоощущение, контрастный душ, спорт и раздельное питание. Никакой картошки с мясом. Я никогда не ем бутерброды. Ни-когда! Даже на приемах. Даже в гостях. Съедаю или нижнюю часть, или верхнюю. Лучше — верхнюю. Один и тот же продукт нельзя есть чаще, чем два раза в неделю. Иначе организм к нему привыкает, перестает перерабатывать, и человек полнеет. Голодание — не панацея. Однажды я целых десять дней ничего не ела. Только пила минеральную воду без газа. И не похудела ни на грамм!

Без чего холодильник кажется вам пустым?

Без апельсинового сока и яиц. У меня есть суеверие: пока в холодильнике не перевелись яйца — семья крепкая.

А что в нем никогда не найти?

Сливочного масла, жирной сметаны и копченой колбасы.

Вы скрываете свой возраст?

С некоторых пор начала скрывать. Ошибочно было оглашать его публично. Последнее время мужчины с тупой настойчивостью пытаются узнать, сколько же мне лет.

Зачем?

Чтобы понять, можно в меня влюбляться или уже не стоит. Это женщине безразличен возраст партнера. А для мужчин он важен.

Теперь сообщаю, сколько мне лет, когда хочу прекратить ненужное знакомство.

Вы бы хотели вернуться в свои двадцать лет?

Ни за что. Тоскливые времена, несвобода... Снова защищать диссертацию, работать доцентом, ночным сторожем? Нет, не хотела бы.

Как вас занесло в ночные сторожа?

Я была аспирантка с маленьким ребенком. А там платили за ночь 36 рублей — это была четверть месячного оклада моего мужа... Мне выдали спецодежду — огромный тулуп и валенки 45-го размера. Тулуп я напяливала поверх пальто, а валенки не надевала — предпочитала мерзнуть в новеньких французских сапожках. Я должна была каждый час обходить пустое огромное здание, вокруг которого валялись кучи кирпичей и бегали полчища крыс. Всю первую ночь я прорыдала от холода и страха.

И сколько ночей еще вы рыдали?

Не забывайте, что я — потомок самураев. Больше — ни одной!

А что из советской эпохи вы хотели бы вернуть?

Безопасное и чистое метро.

Если вы закончите карьеру политика, чем займетесь?

Я пойду в "хэдхантерское" агентство, к так называемым "охотникам за головами". Они подыскивают людей на должности топ-менеджеров. У нас в России работает несколько таких компаний. И протестируюсь. Думаю, они найдут мне работу. Мало того, я уже тестировалась. И по результатам назвали такой оклад — я даже удивилась, что он возможен на нашем рынке. Мне сказали: да, вы столько стоите. Я очень быстро анализирую ситуацию комплексно, даже в новой для себя сфере, могу очень быстро переработать информацию и концептуально обобщить. Я умею налаживать связи. И у меня уже есть огромное количество связей. Да?

Что да, то — да. Считаете ли вы себя самодостаточной?

Не считаю. У меня полно комплексов. Видя, как я легко выдерживаю дебаты и агрессивно "наезжаю" на оппонентов, меня называют "железной леди". На самом деле все это благодаря усиленным тренировкам. Такой стиль поведения помогает нашей партии побеждать и набирать голоса на выборах. Самой же мне быть такой совсем не хочется.

Самодостаточен тот, кто совершенно доволен собой и считает, что у него нет проблем и недостатков, которые следует скрывать. Таких людей мало, и чаще всего они почти монстры. Если у человека нет комплексов, он — робот.

Если вы закончите карьеру политика, чем займетесь?

Стану телеведущей. Кем-то вроде Ларри Кинга, только в юбке.

Ради каких политических задач вы изменили бы свою внешность? Как, например...

Как, например, Юлия Тимошенко? Вставить голубые линзы и заплести косу с оранжевыми ленточками? Ни ради каких!

Над чем последним смеялись?

Над анекдотом. Журналист задает Путину вопрос:
— Что случилось с вашей подводной лодкой?
— Она утонула.
— А что случилось с вашей Конституцией?
— Она задолбала.

Сейчас очень моден космический туризм. На какую планету вы бы полетели?

И не надейтесь...

Купили ли вы какую-нибудь “свою мечту”?

Мои мечты настолько грандиозные, что купить их никаких денег не хватит.

Если бы вы были Дедом Морозом, кого и в каком виде вы бы прислали своим коллегам-политикам как подарок?

Ну, Грызлову я бы прислала Валерию Новодворскую. В коробке, украшенной большим ярким бантом. Пусть. Наконец пообщаются тет-а-тет. Григорию Явлинскому я бы прислала Евгения Примакова. Примакова бы положила в серебряный сундучок, инкрустированный бриллиантами. А вот для Владимира Путина лучший подарок — это, конечно, я! Причем меня надо преподнести в ящике для секретных документов. Он бы от меня узнал тако-о-ое!

Что вы не считаете подарком?

Комбайн, сковородку, мебель. Подарок должен быть никчемным. Вернее, не должен быть утилитарным.

Как должен выглядеть мужчина, чтобы понравиться Хакамаде?

Он не должен быть очень красив лицом, типа Делона или Круза — это не мое, это раздражает. Он должен быть в меру некрасивым, с крупной тяжелой челюстью, довольно большим носом, неважно какими, но умными глазами.

Получается Депардье...

Нет, Депардье — это слишком. Я вообще не люблю французов. Они мне кажутся мелковатыми. Европейцы, что с них взять? Маленькие страны, маленькое мышление. Для меня секс-драйв в мужчине — в выражении глаз. Последнее время, мне кажется, мужчины, по крайней мере, мои ровесники, превратились в ящеров-яппи с железным выражением глаз. Когда среди таких глаз возникает взгляд, в котором светится интерес к жизни вообще и к женщине в частности, он-то и кажется мне самым сексуальным. Но что-то такое встречается все реже и реже. Или, может, мне не везет? Подходит после конференции мужчина: "У вас отличный доклад, я хотел бы обсудить с вами такую-то тему"... "Спасибо. Вот моя визитка, звоните". Ах, визитка? Ах, только позвонить? Какое разочарование... А чего ты хотел? Чтобы я от комплимента растаяла и заплатила за ужин?
Еще мужчина не должен быть расхлябанным. Он должен любить свое тело и следить за ним. У нас такая категория мужчин уже появляется. Не в политической, а в бизнес-

среде. На первом этапе становления капитала они много пили, много ели, кутили, швыряли деньги. В результате — образ нового русского с наглыми глазами, огромным пузом и моделью рядом. Сейчас животы постепенно исчезают. Их обладатели знают о диетах больше, чем женщины. Я сама наблюдала: если женщины заводят за столом разговор о диете, мужчины начинают записывать.

Как мужчины привлекают ваше внимание?

По-разному. Раньше дарили три гвоздики или три розы, и с этого что-то начиналось. А когда я занялась политикой, все пошло по-другому. Чаще под видом ухаживания пытаются решить какие-то свои проблемы. Я прошу в таких случаях прекратить театр и сразу перейти к делу. Слишком часто и объяснения в любви, и стояние на коленях, и дарение букетов оказывались туфтой, а главным был какой-нибудь проект.

Меня всегда интересовало — что должна делать женщина, когда мужчина падает перед ней на колени?

Самое оптимальное, по-моему, сделать так, чтобы он, стоя на своих коленях, начал целовать ее колени, а то ему как бы больше и нечем заняться.

Случалось все-таки поверить?

Один молодой человек изображал безумную любовь полтора года: цветы, стихи, признания. На мой упорный вопрос “что тебе от меня все-таки надо?” упорно отвечал “все-таки ничего не надо”. Я почти было поверила, но тут в маленьком подмосковном городке начались губернаторские выборы, и оказалось, что мой Вертер твердо намерен стать губернатором. Причем с моей разносторонней помощью.

Вы отхлестали его по щекам?

Напротив. Я была идеально доброжелательной и идеально вежливой. Моя ярость всегда упакована в безукоризненную светскую форму. Скажу больше, после этого случая я старательно пыталась разобраться в себе: почему такая болезненная реакция? Многие почитаемые мной женщины не брезговали бартером — любовь в обмен на протекцию. Та же Коко Шанель, та же Эдит Пиаф. Брали дворовых щенков и растили из них породистых кобелей. Может, во мне нет щедрости? Может, мне жалко помочь? Да нет, для тех, кто просил открыто, я делала все, что могла. Наверное, здесь дают о себе знать пятьдесят процентов восточной крови. Все же на Востоке любящая женщина смотрит на мужчину снизу вверх. А на того, кто нуждается в твоем покровительстве, трудно смотреть снизу вверх.

Вы смотрите на мужа снизу вверх?

Я смотрю на мужа с любовью.

Молодому человеку удалось стать губернатором?

Не знаю. А вы как думаете?

Думаю, вряд ли. Что еще должен сделать мужчина, чтобы навсегда лишиться вашей симпатии?

Для этого довольно одной фразы: “Ты — такая прекрасная. Зачем тебе эта политика?”. И все. Приговор выносится тут же и обжалованию не подлежит. Почему им никто не говорит: “Ты — такой классный. Зачем тебе чем-то заниматься? Ходи по подиуму”...

У вас есть свой рецепт выздоровления от несчастной любви?

Чем спасаться? Читать книги, красить волосы, стричь волосы, покупать новые тряпки, притулиться к друзьям и заниматься аутотренингом. Я, например, сажусь в кресло, закрываю глаза и представляю отрицательные качества любимого. И через месяц ежednевного аутотренинга понимаю, что мой любимый — полный урод.

Чем вы будете заниматься через 10 лет?

В России так надолго не планируют.

Хорошо, спрошу по-другому. Чем бы вы хотели заниматься, когда покинете политику?

У меня возникла идея наняться на яхту и возить людей по островам. Я видела такие семейные пары. Он — капитан, она — хозяйка, и еще матрос. Летом таскаться по морям, а зимой, заработав денег, под другим солнцем кататься на горных лыжах.

И, наконец, последний вопрос — чем бы вы хотели заниматься, когда покинете политику?

О боже...

Тема седьмая: *На голой вершине*

В правительстве со мной работала дама. Деятельность у нас была очень пересекающейся — малый бизнес, антимонопольное регулирование. Много перемежающихся законов. Она разделяла мои идеи, но последовательно уничтожала все мои начинания. Она их разбивала на корню с помощью изощренных чиновничьих формулировок. Не пропустила ни единой бумаги. Я уважала ее профессионализм. Я пыталась наладить контакт. Нам же нечего делить, и мы единомышленницы. Бес-по-лез-но. Да, нечего делить. Да, единомышленницы. Но она была старая дева с мамой и собачкой, всю жизнь положившая на карьеру. А я была я. Вопросы есть? Вопросов нет. Когда был кризис в правительстве, дама сделала все, чтобы меня уволили. Меня уволили. Ее через год тоже. А справилась бы с половым дефектом немотивированной вражды, может быть — кто знает? — в правительстве до сих пор было бы на целых две женщины больше. Или хотя бы на целую одну.

На встрече в клубе Арбатовой какая-то из ее умниц прямо сказала:

— Я вас ненавижу. Я никогда не буду вас поддерживать. Мне хватает мозгов и интеллекта сказать это вам прямо. Это не связано с вашими взглядами, это не связано ни с чем, я вас ненавижу за то, что у вас все получается, а у меня нет.

Я оценила признание. Редкая женщина сделает его даже себе самой. Мужское соперничество логично и предметно: за вот этот кусок, за вот эту партнершу, за вот этот чин. Женское соперничество иррационально и всеобъемлюще. Мужчина не будет гнобить мужчину только за отсутствие лишнего веса, только за комплимент, сделанный не ему, пусть сто лет назад, пусть кем-то давно забытым. Женщина — будет. Мы еще можем сбиться в стаю для травли. Для помощи и поддержки — никогда. Две женщины не в состоянии вместе даже смотреться в зеркало. Та, что выглядит хуже, стушуется и отползет с ненакрашенными губами и испорченным настроением. Самое великодушное, на что способна одна женщина по отношению к другой женщине, — это не мешать. Ни Памфилова, ни Хакамада, ни любимая мною Старовойтова так ничего и не создали. Что же жаловаться на то, что женское поголовье в той же самой политике такое малочисленное? Сами виноваты. Мы — разделяемся, они — властвуют. Все справедливо.

А что такое в России властвовать? Это никого не подпускать к кормушке. Женщин к ней и не подпускают. Нас нет на ключевых денежных позициях в правительстве, нас нет и в экономике. Потому что она намертво сцеплена с политикой. В списке миллиардеров женщины есть в любой стране, кроме России. Я имею в виду миллиардеров, не спаянных с властью. Почему? Двадцать первый век — это не сырьевая экономика. Это экономика идей. Если у женщины работают мозги, у нее есть шанс. В России мозги не являются двигателем экономики. Они обслуживают нефть, газ и т.д. У нас очень архаичная экономика. Это прежде всего — природные ресурсы и сырье. Как сегодня женщина получит прииск или прорвется к трубе? Кто ей позволит?

У мужчины инстинкт завоевателя сильнее, чем инстинкт самосохранения. Когда я была депутатом, меня попросили поднять проблему: почему мы экспортируем алюминиевые чушки за копейки, когда могли бы продавать готовую продукцию за рубли. Я подняла. Ко мне подошли и предупредили — подняла? Теперь опусти и забудь. Хочешь жить — заткнись. Заткнулась. Я не готова умереть за алюминий.

А кони все скачут и скачут

Для политической карьеры женщине нужна не только храбрость. Должны сложиться звездочки, должен быть элемент удачи. У меня удачи были. Я оказалась в нужное время рядом с нужными людьми. Теперь время изменилось. Сейчас эфэсбэшная система настолько строгая, она все так утоптала, что удачи не будет, можно побеждать только системно.

Или принадлежать к породе солдаток. Единственный допускаемый во власть тип женщин — это женщины-солдаты. У них нет личных амбиций. Они не сомневаются. Они пашут на износ. На них валят самую неприятную работу. Замечали? Самые скандальные заседания Госдумы вел не Селезнев, а Слиска. Селезнев испарялся. То заболел, то в командировке. Верная примета: кресло председателя заняла Любовь Константиновна — сегодня в парламенте обсуждается что-то конфликтное и скучно не будет. Мужчины заранее отстегивали часы, женщины рефлекторно поправляли прически, телевизионщики занимали снайперские позиции: на мушке держалось пространство перед сценой — традиционное место парламентских рукопашных. Их с упоением снимали и гнали по всем каналам: народные избранники опять подрались! Кто виноват? Виновата Слиска, которая опять не справилась с ситуацией.

Один раз во мне взыграла женская солидарность. Я сидела в зале, когда накалилась обстановка и к сцене начали подтягиваться депутаты уже без пиджаков. Все мужчины из президиума куда-то пропали. Пустые стулья, в центре Слиска, внизу клубится кодла. Я влетела на трибуну и шепнула: быстро объявляй перерыв, вставай и уходи. Объявила, встала, ушла. Свет отключили, микрофоны отключили, все потянулись из зала. После перерыва кураж пропал.

Тоже самое с Валентиной Матвиенко. Она становится губернатором в дни празднования трехсотлетия Петербурга. Ничего не реконструировано, все безобразно. Наприглашали гостей, а в доме разгром. Ей пришлось и решать проблемы подготовки к празднику, и одновременно выбираться губернатором. А выборы губернатора несравнимы с выборами в парламент. В парламент идут идеологи. Губернатор — это деньги. Это бюджет. Сто групп, сто кланов, все шантажируют. Даже если тебя двигает власть, это не ковровая дорожка. Она все вытащила.

Есть один старый анекдот, он мне нравится и, на мой взгляд, он не утратил своей актуальности.

Крепко датый мужик спрашивает своего собутыльника:

— Слышь, Вась, а ты коня на скаку мог бы остановить?

— Ты че, Вань?!

— А в горящую избу войти?

— Ты че, Вань?!

— Вот за это я тебя и уважаю.

— За че, Вань?

— За то, Вась, что ты — не баба.

Итак, женщине в политике приходится по-суворовски воевать не числом, а умением. Кое-какие умения я накопила. Делюсь по-братски.

Венок советов

Прием против лома
совет первый

Мы не можем предложить обидчику: “Выйдем, поговорим?”... Прозвучит двусмысленно. И зачем? У нас есть свое оружие, которым мы владеем более искусно благодаря многовековому опыту. Это шантаж. Но он должен быть очень легкий и точный, как укол иглой. Яда на конце не нужно. Яд шантажа — это страх. Его человек выработает сам. Если попали в правильную точку. Например, какая-нибудь сволочь в парламенте смешивает вас с грязью, обвиняя вас во всех смертных грехах, включая расстрел царской семьи. Как меня, когда я проводила в Думе закон о детских пособиях. Вы спокойно выслушиваете, потом нажимаете кнопочку и тихим голосом в микрофон интересуетесь:

— Хотите, чтобы я перечислила те криминальные компании, с которыми вы связаны? Я могу это сделать прямо сейчас.

Блефуйте смело, блеф беспроигрышный. Он стушуется, не рискнет лезть на рожон. А вдруг и правда перечислите? Они же все на чем-то замазаны.

Этот прием я опробовала еще в молодости. Я очень билась за место преподавателя. Наконец получила. На кафедре был доцент, которого все боялись. За ним ничего не стояло, но он как-то так себя вел, как-то многозначительно молчал и говорил, точно петельку накидывал. Маленький рост, взгляд василиска. Недоставало грузинского акцента и трубки. Он решил меня убрать: беспартийные Хакамады должны сидеть не на кафедрах, а совсем в других местах, и лет сорок назад он бы мне эти места организовал. После одного заседания кафедры, где он свою петельку на меня уже закинул — осталось затянуть, а коллеги лишь мялись и вздыхали, я вернулась домой в истерике. Потом вдохнула, выдохнула, набрала его домашний номер и ласковым голосом Геллы сообщила, что мой отец связан с людьми в ЦК, и пообещала, что если он будет продолжать в том же духе, это очень плохо кончится. И повесила трубку. Какой ЦК? Чем "плохо"? Полный маразм. Но охота прекратилась. Женщина иногда должна так действовать. Иначе ее сожрут. Но нельзя увлекаться, это оружие редкое, исключительное, избирательное, на крайний случай.

Никогда не прижимай к стенке того, кто могущественнее тебя.

Когда арестовали Ходорковского, я предложила сделать заявление:

а) арест носит политический характер, любое из предъявленных ему обвинений можно выдвигать против половины населения, занятого в бизнесе;

б) потребовать изменения меры пресечения — Ходорковский не представляет угрозы для общества и из страны не сбежит. Все.

Чубайс с заявлением согласился, но при этом предложил обратиться к Путину. Я возразила — это неправильно, обращаться к Путину нельзя, обращаясь к нему, мы сразу указываем на то, что все в России зависит только от него, мы обращаемся к царю, чтобы он помиловал. Против Ходорковского накалилась огромная машина, если мы будем долбать тем, что его посадил Путин, мы Путина доведем до ручки, а когда в России правителя доводишь до ручки, он превращается в тирана! И мы ситуацию не спасем. Всем известна школа выживания: вывести главное лицо, от которого все зависит, за пределы ринга, дать ему возможность быть над схваткой. Нельзя давить. Это все равно что мужчине поставить ультиматум: "Если будет так, я тебе не прощу". Мужчина отползает и тихо делает, она прощает, потому что сил уйти нет. А он продолжает в том же духе. А потом уходит, потому что жить с затравленной, раздавленной бабой неинтересно и тягостно.

Я настаивала, убеждала, но Чубайс выступил с обращением к Путину. Ходорковскому это, как я и предполагала, не помогло.

Концерт для скрипки с оркестром
совет второй

Мужчина женщину видит, но не слышит. До определенного момента. Никогда не лезь со своим предложением, пока для них актуальны другие. Дождись, когда зайдут в тупик. Мы организовывали СПС. Сформировалась веселая тройка: Кириенко, Немцов, Хакамада. Когда Сергей Кириенко был премьером, я, будучи министром, так и не смогла попасть к нему на прием точно так же, как к Черномырдину. Скоропостижное соединение — это не команда. Команда — это когда сначала сработались, потом вместе пошли. Притерлись, стали единомышленниками, пошли. Немцов Кириенко знал давно, с Нижнего Новгорода. Я — нет. На общих интервью мы были точно пассажиры в маршрутке: сидим рядом, но порознь, каждый сам по себе. Друг на друга не смотрим, друг на друга не ссылаемся, друг на дружку не киваем. С этим нужно было что-то делать. Наняли психологов, сняли на неделю пансионат. Немцов, Кириенко, Хакамада и орда специалистов. Трое суток они нас склеивали. На четвертые решили, что чего-то добились, и устроили экзамен. Мы должны были на тесты ответить харизматично, пассионарно и совместно, найти импульсивное общее решение. Задание: втроем выработать оптимальный маршрут, чтобы за короткий отрезок времени забрать со склада мебель, навестить в больнице маму, взять ребенка из школы.

Немцов и Кириенко дружно начали делить часы на минуты, минуты на секунды, умножать на расстояния, вычитать светофоры и т.д. Ко мне они не обращались, а общались между собой: "Так, Борис? Так, Сергей". Эти свои математические расчеты они и выдали психологам как совместное решение. В том числе и мое. Когда же выяснилось, что у меня совершенно другая модель, в которой не две минуты (я не представляю, как это в нормальной жизни — бросить на тумбочку цветы и коробку конфет и исчезнуть), а практически все время тратится на маму и ребенка, а мебель за дополнительную оплату спокойно ждет на складе, оба, и Немцов и Кириенко, были потрясены. Мы же ее спрашивали! Нет, не спрашивали, вот видеозапись. За меня решили и даже не заметили. Эта зацикленность на себе и исключение женщины из активного партнерства лежит в подсознании.

Чтобы услышали тебя, надо ждать, пока наорутся. Когда они в накале — это нереально. Даже если ты будешь кричать громче них. Как только выдохнутся, тут и вступай. Нельзя говорить стандартными определениями типа "это все глупо, безобразно, неинтересно" или экспрессивными характеристиками — "чудовищная ошибка, вывод ужасный, так больше нельзя, у меня сердце болит". В общем, стою перед вами простая русская баба. Первая фраза должна быть очень емкой. Например:

— Ира, что ты по этому поводу думаешь?

— Вы — о...ли.

— Хар-рошее начало.

И сразу возникает интерес в глазах.

Курочка по зернышку клюет
совет третий

Политик не может существовать сам по себе. Это несерьезно. Расходы у политика — огромные. А в оппозиции — запредельные. Надо за свои деньги арендовать офис. И чтобы еще этот офис не побоялись вам сдать. Рыночная стоимость московского офиса — 10 тысяч долларов в месяц минимум. Скрепки, бумаги, интернет, телефоны... В ручном режиме надо пользоваться услугами массы профессионалов. Мозги стоят дорого. Должны быть политолог, пресс-секретарь, юрист. За госоклад на вас никто не будет работать. Всем нужно доплачивать. Деньги нужны, чтобы окружить себя профессиональным аппаратом. И начинаются скитания.

Женщине-политику добыть деньги на пропитание намного сложнее. Первый раз, когда я получила деньги на кампанию, я даже не проверила, кто мне их дал. Ребята оказались нелегальные и потребовали всяческих услуг типа: партию сигарет освободить от налогов. Потом рассосалось. Но вообще — это опасно. А большой бизнес на нас не ставит: нерентабельны. Я сама — из бизнеса, и у меня полно знакомых бизнесменов. Звонила: поговорим? Поговорим. Говорили, и без толку. Моя борьба за средний класс никого не впечатляла. Всем нужно здесь и сейчас. Утром деньги — вечером стулья. Один бизнесмен гениально сформулировал разницу между российским предпринимателем и западным:

О чем мечтает очень богатый западный предприниматель? Заработать столько денег, чтобы войти в истеблишмент и влиять на принятие политических решений.

О чем мечтает средний западный предприниматель? Создать такую марку, чтобы его имя стало мировым брэндом.

О чем мечтает мелкий западный предприниматель? Заработать столько денег, чтобы были дом, машины, четверо детей, любимая жена и было что завещать внукам в наследство.

О чем мечтает очень богатый российский предприниматель? Войти в правительство или администрацию, откатить максимум бабок, потом свалить за границу и построить виллу на южном берегу Франции. Потому что в порядочность российской власти он не верит.

О чем мечтает средний российский предприниматель? Создать продукт, который позволит заработать ему кучу бабок, но чтобы ни в коем случае его имя в связи с этим продуктом не упоминалось. Потом свалить за границу и построить виллу на южном берегу Франции. Потому что в порядочность российской власти он не верит.

О чем мечтает мелкий российский предприниматель? О том же, о чем и западный: заработать столько денег, чтобы были дом, две машины, четверо детей, любимая жена, но он прекрасно понимает, что в наследство здесь оставить ничего не сможет. Поэтому, как только позволят средства, надо валить за границу и заводить все это на южном берегу Франции. Потому что в порядочность российской власти он не верит. Какое финансирование долгоиграющих проектов?

Ключевым был совет моего мужа. Я опять канителилась со сбором средств. Он подсказал очень технологичную вещь: все уже знают про твои ценности. А ты можешь освоить такую модель? Говоришь: мне много денег не надо. Вы даете пятьсот долларов в месяц и за это имеете ощущение счастья, что финансируете идейного соратника. Даете две тысячи долларов в месяц и участвуете в комиссиях и в принятии решения. Даете пять тысяч — и с вами ведут приватные переговоры перед принятием решения. Лоббирование частных интересов исключается. И ни слова больше. Модель мне понравилась, и я при первом же удобном случае решила ее опробовать. Случай не заставил ждать: я уже не помню, куда летела, и в самолете незнакомый мне предприниматель отвел меня к сортиру и сказал, что желает тратить свои деньги на мою партию. На каких условиях это возможно?

До разговора с мужем я бы опять начала про ценности и отказ от лоббирования отдельных интересов. Теперь же была краткой: пятьсот — личное счастье, две — участие в обсуждениях тактики, пять — стратегическое партнерство. Понятно? Понятно. На этом разговор закончился. Он позвонил через три месяца: я согласен. На что? На первый вариант. И дальше — два года по пятьсот долларов.

Но когда речь идет о серьезных суммах, лучше самой не вести конкретные разговоры. Пусть ими занимается доверенное лицо мужского рода. У меня это лицо — муж. Он составляет сметы, по обоюдному согласию отчитывается перед спонсором или не отчитывается, если позиция спонсора более доверительная: "Я финансирую не свой коммерческий проект, не бизнес, а политику. Отчеты мне ни к чему. Если на мои деньги она не секретаря наймет, а имиджмейкера или купит деловой костюм, значит, так надо".

Веселись, душа, пей и ешь
совет четвертый

Когда сдают нервы, когда мир становится не мил, свет становится не бел, что нужно сделать женщине, чтобы минута слабости не переросла в часы, дни, годы депрессии, чтобы рухнуть окончательно и уже не подняться? Начать себя жалеть. А что возвращает нам краски и настроение? Хороший шопинг и хороший шейпинг. В 1993 году у меня был момент отчаяния, когда я, трясясь от озноба и обиды, объявила своему пресс-секретарю Игорю: "Я больше не хочу никуда избираться. Я хочу домой, я хочу к маме". Ничего экстраординарного в тот день не случилось. Подумаешь, нетопленый актовый зал школы, к которой мы пробивались через поле, по горло в сугробах, срезая путь, чтобы не опоздать. Подумаешь, на встречу с кандидатом в двадцатиградусный мороз никто не явился, кроме двух существ в ушанках. Подумаешь, они обозвали меня японской мразью, поганящей их русскую землю. Рядовой эпизод предвыборной кампании. Но, видимо, накопилось. "Спокуха", — сказал мой пресс-секретарь и вместо дома притащил меня на ночную дискотеку. Я танцевала до утра и до изнеможения. Утром, расставаясь, Игорь спросил: "Будем продолжать?". "Будем продолжать!" — ответила я.

Второй раз я уже сама устроила танцы до упаду в ночь подведения итогов президентских выборов 2004 года. Вместо того чтобы нюхать нашатырь под диаграммами, консультироваться с аналитиками и психиатрами, я устроила вечеринку с хорошим названием: "Мы выбрали друг друга". Туда наприглашала кучу приятного народа, группа "Ундервуд" спела песню "Покуситесь на президента". Вечеринка удалась.

Но и без всяких чрезвычайных ситуаций — увидела красивое платье: забудь о народе, покупай платье, ходи на дискотеки. Не думай с утра до вечера, как там без меня народ? Он без тебя — прекрасно! Это все от гордыни.

И последнее, заветное: считается, что политика гробит в женщине женщину, превращает ее в танк. Мужчине, делающему карьеру, никто не скажет: ты такой классный! Зачем тебе эта политика? Ходи по подиуму, или, если нет, то все равно плохо, так как она — синий чулок. Ложь. Я всю жизнь была девочкой в футляре, подростком в футляре, студенткой в футляре, мнс в футляре, потом занялась политикой, и она заставила футляр снять. С 93-го года я непрерывно общаюсь. Я впустила в себя большой мир. Это привело к развитию новых качеств. Во мне вдруг обнаружились и легкость, и контактность, и коммуникабельность, и чувственность. Именно — чувственность. Помню, в 95-м, после победы на выборах, я лежала с подругой на пляже и думала: вот я депутат, я известна во всей России, почему же я такая несчастная? Ничего не хочу. Не хочу быть сильной. Не хочу быть самодостаточной. Мне недостаточно самой себя. Хочу ехать на красивой машине вдоль океанского побережья. И чтобы вел ее он, плейбой с вьющимися, до плеч волосами. И чтобы левая рука лежала на руле, а правая — на моем колене. И чтобы был влюблен в меня до безумия. И чтобы океан — шумел.... Кстати, все сбылось до мелочей!

Домашнее задание

Тест № 1.

Обсуждается серьезный вопрос. Обстановка накалилась, и мужчины перешли на мат, используя его не в форме междометий и связок, а как основную функциональную единицу речи. Ваша реакция?

а) Сделаете замечание… сделаете повторное замечание… сделаете замечание еще раз… сделаете последнее замечание… потребуете дневник и вызовете родителей.

б) Попросите вашего соседа нашептывать вам на ушко синхронный перевод.

в) Достанете из сумочки тампаксы и демонстративно заткнете ими уши.

г) Откроете блокнот, занесете в него самые выразительные обороты, чтобы выучить и в следующий раз иметь возможность общаться с коллегами и соратниками на правильном языке.

д) Будете вести себя так, словно ничего не происходит. На войне как на войне.

Лично я предпочитаю вариант "д". Но с вариациями. Советская партийная верхушка всегда была матерщинной. Она такой и осталась. Попала в этот круг — прилаживайся. Я приладилась. Не строю из себя ни кисейную барышню, закатывая глаза и поджимая губы, ни своего в доску партийного товарища, специалиста по ненормативной лексике в юбке, усыпанной пеплом от “Беломора”. Когда нужно, могу и сама. Работа нервная, иногда человек ничего не воспринимает, пока не обматеришь. Мат как нашатырь. Сунул под нос, человек встряхнулся и начинает хоть что-то делать. Сколько раз наблюдала: шеф кроет трехэтажным матом подчиненного, а подчиненный внимательно слушает, что-то конспектирует. Выслушал, законспектировал и двинул выполнять. Взаимопонимание с Черномырдиным у меня началось со слова “задница”. “Где вы у нас, Ира?” — спросил он. Я ответила, где. И Виктор Степанович облегченно вздохнул: нормальная, своя. А до этого нервничал, потому что не понимал, как разговаривать с этим существом. Оно не из его стаи. В своей стае с банями, с матом-перематом в мужицкой прокаленной атмосфере ясно, как реагировать. А тут что? Взгляд и нечто. И одевается не так, и двигается, и говорит. Другой случай: мне потребовалась виза Минфина на документе. С трудом дозвонилась Министру финансов Михаилу Задорнову, бывшему коллеге по парламенту, и вежливо, интеллигентно объяснила, что мне нужно. В ответ мне вежливо и интеллигентно объяснили, что это никому не нужно. И тогда я, используя все известные мне выражения, подробно проинформировала министра финансов, кем становятся демократы, когда приходят в исполнительную власть. Документ был завизирован.

Тест № 2.

Вы пришли в чиновный кабинет, чтобы подписать важную для вас бумагу. И вдруг хозяин кабинета запирает на ключ дверь, валит вас на диван и, обваривая лицо гипертоническим дыханием, предлагает в обмен на свой автограф вступить с ним в половую связь. Как вы поступите?

1. Стыдливо признаетесь ему, что вы а) еще девушка; б) активная лесбиянка; в) трансвестит.
2. Начнете плакать и объясняться в любви к мужу.
3. Сообщите, что вы любовница а) его шефа; б) чеченского террориста; в) профессионального киллера.
4. Захохочете и будете долго хохотать, давясь смехом, всплескивая руками: “Ой, не могу, ой, держите меня” и тыча в насильника пальцем.
5. Припечатаете коленом промеж ног и, пока он в позе эмбриона стонет: “Ах, сука!”, попросите секретаршу по селектору отпереть дверь и принести два чая. Один без сахара.
6. Признаетесь, что вы и сами не против, но прежде чем начать, вы должны убедиться, что инструмент соответствует нужным параметрам. Если от вас сразу не отпрыгнут, словно от гадюки, а гордо предъявят все, что требуется, будете долго рассматривать, сокрушенно качая головой и цокая языком.

7. Опять-таки выразите живейшее согласие, но сошлетесь на ежемесячную техническую паузу, мешающую немедленно реализовать это согласие, и потребуете прямо вот тут, не сходя с этого дивана, пообещать, что в ближайшем будущем состоится повторное свидание. После чего в течение нескольких месяцев, сталкиваясь в публичных местах, будете подавать ему недвусмысленные знаки, пока он, завидев вас, не начнет прятаться за колонну.

Ответ:

в принципе, в зависимости от того, насколько важна для вас подпись, попробовать можно и все семь вариантов. Мне она была необходима, поэтому я выбрала вариант № 7 как самый щадящий и во всех смыслах результативный.

Побочная тема: *Средство Макропулоса*

Если я покину политику, я займусь психикой женщины и ее стилем. Или, другими словами, состоянием души и обликом. Не отдельно первым и отдельно вторым, и не “или-или”, а именно так, слитно: обликом и состоянием души. Они у нас связаны теснее, чем мы думаем, и форма влияет на содержание так же, как содержание влияет на форму.

У меня есть подруга. Вроде бы Бог ничем не обидел: ни характером, ни внешностью, ни деньгами. Но незаметно все, кроме денег, кудато ушло. Она превратилась в тетку: глаз потух, располнела, во рту блестят золотые коронки, на голове пылится археологический сессун — стрижка, завезенная в семидесятых годах в Советский Союз французской певичкой, давно и благополучно всеми забытой. Я люблю свою подругу и однажды не вытерпела и устроила ей скандал. Потребовала, во-первых, поменять золотые коронки на фарфоровые. Во-вторых, иначе подстричься. Сейчас есть гели, пены, можно из трех волосинок изобразить что угодно. Пусть даже тебе стрижка не будет идти, но пусть прическа поживет своей стильной жизнью, более современной, чем ты сама, а за ней, глядишь, и ты подтянешься. Со мной, например, так и получилось. Сначала я радикально разобралась с педагогическим пучком. Села в парикмахерское кресло, зажмурилась: режьте! А после потихоньку сочинились и иной гардероб, и иной мужчина, и иной сценарий судьбы. В-третьих, потребовала освободить уши от висюлек. Лицо — не елка. Есть очки? Довольно очков. В-четвертых, убрать эту жлобскую золотую оправу. Подобрее, поовальнее, оправа потемнее, роговая. Очки очень много значат в создании образа. Я сама очень долго носила очки в узенькой оправе. Мне было удобно: когда смотришь вблизи, можно спустить очки на нос. И один политтехнолог сказал:

— Очень жесткий образ. У вас и так короткая стрижка, у вас и так темная одежда, вы и так худая. Вес не изменить, стрижку тоже, остаются очки. Надо смягчить образ круглыми очками. Что-то от Гарри Поттера. Другим это повредит. Вам — нет.

Политтехнологу я не поверила, пока не увидела ведущую телепрограммы “Слабое звено”. Мне предлагали вести эту игру. Неужели у меня в этой оправе такой же стервозный вид? Я стала носить круглые очки. Первые были очень большие. Я в них походила на летучую мышь. Потом нашла оптимальный вариант а-ля Джон Леннон. Правда, резко стала похожа на японского императора. Ну и ладно. В конце концов, кто у нас в курсе, как выглядит японский император?

Подруга послушалась и начала преобразовываться. Коронки поменяла. Купила итальянские очки, хипповые дальше некуда, такие смешные, элегантные и хулиганистые. Но изменить радикально стрижку не решилась. Сделала что-то компромиссное, ни то ни се, ни два ни полтора. В результате через полгода съехала на проклятый сессун. Очки поломались, напялила очередные золотые. Опять начала покупать программные тряпки марки "антисекс" вроде широких клетчатых штанов с начесом, потому что "тепло и удобно". Я отступилась, признав свое поражение, но не могла внятно себе объяснить, почему так происходит, пока мой муж не решил похудеть. Во время беременности я набрала двадцать килограммов, и он вместе со мной в знак солидарности прибавил столько же. Я от своих избавлялась с трудом, Володя же на глазах приобрел нужную форму без всяких усилий: в клуб не ходил, целлофаном не оборачивался, марафоны не бегал. Я потребовала открыть секрет. Муж секрет открыл: надо представить внутри, кем ты хочешь стать, и чтобы этот кто-то поселился в тебе. А дальше уже автоматически начинаешь более аккуратно есть, более активно двигаться и так далее. А главное, тело и душа, живя в новом образе, меняют энергетику. И я поняла, почему подруга съезжает в идиотскую советскую форму: ее душа никак не изменилась и тянет обратно.

Более удачным был эксперимент с другой моей приятельницей. Она живет в Эмиратах, приехала туда нищей, из Украины, где работала врачом. Открыла при поликлинике маленький гомеопатический кабинет. Сейчас у нее собственная клиника, лечит шейхов.

Ей за пятьдесят, у нее шикарная, налитая фигура. Когда мы с мужем у нее гостили, она мне пожаловалась: "...я устала, вокруг меня бешеное количество блестящих мужиков. Но они со мной общаются только по-деловому, они во мне видят только врача". А кого должны увидеть в женщине, которая разговаривает, точно выписывает рецепт, даже когда говорит о театре или кино, в женщине, непоколебимо одетой в пиджак, как героиня "Служебного романа"в исполнении Алисы Фрейндлих до интимного свидания со своим подчиненным в исполнении Андрея Мягкова? Да, арабский мир — пафосный. Тут не будешь щеголять в трэшевом прикиде и фраппировать, изображая из себя альтернативщика. Не поймут. Но почему все время пиджаки? Здесь же теплый климат. Есть трикотаж. Он — сексуален, он смягчает деловую женщину. И почему непременно английские брючки? Бизнес-леди и чиновные дамы и у нас любят пряменькие английские брючки. Наденут, и никаких отвлеченных неформальных мыслей ни у кого не возникает. Сразу ясно — перед вами руководитель, партнер, боевая единица: получил указания, выполнил, доложил. Я тоже в основном ношу брюки, но широкие, непротокольные. В сочетании с тесным маленьким пиджаком они работают на образ сильной и одновременно хрупкой женщины. Такую модель трудно купить. В дорогих бутиках висят пачками исключительно английские брючки вместе с расшитыми стразами пиджаками.

В магазинах они не производят такого удручающего впечатления, как на живой женщине, потому что миниатюрного размера, а на складе лежат и большого размера. Их лепят специально для России, покондовее, попроще. Лепят и, естественно, рекламируют. Они во всех глянцевых журналах на всех манекенщицах. Но на манекенщицах они смотрятся! У манекенщиц рост, у манекенщиц талия — сорок пять сантиметров, у манекенщиц бедра — восемьдесят. А когда пропорции иные, то фигура сразу становится бидончиком или матрешкой. Никогда нельзя копировать картинку из глянца. Корпорации за рекламу платят сумасшедшие бабки, за счет чего эти журналы и существуют. Других денег нет. На эти фонды журнал садится, от них кормится. Он не зависит от читателя, он зависит от рекламодателя, которому важно продать, убедить, что только то, что он предлагает, и есть то, что вам нужно. Но если Дженифер Лопес разодета в замшевую куртку с ковбойскими лохмотками, мини-юбку, сапоги на шпильке выше колен и цветастую кофточку от какого-нибудь дома высокой моды, и она прекрасна, вы, одетые так же, будете нелепы. Модно, не модно, если не подходит к фигуре, забыть сто пятьдесят раз.

Я повезла подругу в “Манго”. Мы купили ей летящие брюки, в бедрах в натяжку, трикотажную маечку, оранжевую сумку на смешной цепочке и оранжевые сабо, приподнявшие ее над землей сантиметров на десять. Периодически женщина должна ходить на каблуках. У нее от них меняется осанка. Я до сорока пяти лет ужасно ходила, как жираф, коленками вперед. Опять же Володя, сам обладающий природной пластикой тигра, посоветовал: когда идешь, опирайся на поясницу, а не на живот. И у тебя сразу выпрямятся ноги, выпрямятся плечи, освободится позвоночник, и ты не сможешь выкидывать коленки вперед. И не тыкайся носком в землю. Быстрее не придешь. Ступай с пятки. Кажется, что двигаешься медленнее, а доходишь за такое же время.

Сродниться с такой походкой, довести ее до автоматизма мне не удалось, но, когда требуется, помогают каблуки. На каблуках невольно начинаешь опираться на бедро. Поэтому молодые девушки, озабоченные поисками правильного жениха, и гламурные жены всегда на высоченных каблуках. Они и за картошкой с маленьким ребенком попрутся на шпильках. Зимой, летом, в гололед. Это дает статность. Гламурный образ женщины связан со статью и взглядом свысока на окружающий мир. Опустилась на плоскую подошву — самооценка опускается следом. Недаром все ведущие фотографы своих моделей ставят на каблуки. Стопа поднимается, мускулы напрягаются, менее стройные конечности становятся более стройными, очень стройные конечности становятся супер. Другой вопрос, что иногда не хочется изображать из себя царицу. Не хочется — не надо. Если у меня болит голова, если у меня дурное настроение, в этот день я не надену туфли на каблуках и одежду в обтяжку, а влезу в бесформенные штаны, в бесформенную рубаху на три размера шире, на шею намотаю платок с висящими маргинальными лохмотьями и буду ходить, имитируя походку уличной шпаны, слегка согнув плечи и приволакивая ноги.

Когда мы надели на подругу все обновки, мой муж ахнул: "Ходячий секс!". У нее выпрямилась спина, она прогнулась в пояснице, стала павой. И ее наконец-то начали спрашивать, не где купить лекарство, а что она делает вечером.

К сожалению, для нас типичнее первый случай, когда женщина мертвой хваткой, как знаменосец за полковое знамя, держится за поставленный на себе крест, и ее психологический возраст опережает биологический лет на двадцать. Но она в этом не слишком и виновата. К досрочному старению ее приговаривает, принуждает наше общество всеми доступными ему способами. Отовсюду, с рекламных щитов, с обложек, с модных витрин на нее победительно смотрит чужая паспортная молодость. Женщине внушается, что после определенного возраста ей ничего не светит и она или должна этот свой возраст скрывать, лихорадочно натягивая, шлифуя, вшивая, добывая и вкалывая стволовые клетки, которые на проверку в лучшем случае оказываются обыкновенной глюкозой, или уже смириться и не дергаться. Большинство смиряются, принимая как норму систему подлых запретов и ограничений: этого уже нельзя, этого давно уже нельзя, об этом и думать забудь, о том и не вспоминай. Из дозволенных удовольствий остается еда. Хочется себя чем-то порадовать — съела кусок торта. У мужа весь вечер заблокирован мобильник — съела два куска торта. Не влезла в любимые джинсы — разрыдалась и, всхлипывая и давясь, смела торт целиком, без стыдливых нарезаний, ложкой. А назавтра купила похоронный комплект "Прощай, молодость"— квадратную юбку до середины колена, квадратную блузку (две вытачки, воротничок, манжеты) до середины бедра и назвала смазливую продавщицу "милочка". Прощай, молодость!

Слава богу, меня жизнь сталкивает в основном с обалденными бабами. Многие из них жили в тепличных условиях и где-то к сорока годам мужья их побросали, поменяв на молодых. Их обеспечили деньгами. Но они — одни. Вначале внутри них сидит огромная обида, которая, если на ней сосредоточиться, может довести до ручки, но чаще они очень быстро приходят в себя, у них происходит сумасшедшая ломка и они превращаются в других женщин. Ярких, мобильных. Они резко стройнеют, молодеют. От одной моей знакомой, красавицы малахольного типа, муж ушел к молодой девушке. Они были вместе со школьной скамьи, она обслуживала его карьеру и биографию, последние годы они не вылезали из ссор, по причине которых моя знакомая не вылезала из меланхолии. На моих глазах меланхолия исчезла. Занялась своим бизнесом. Все у нее в норме. Она сама моделирует свою судьбу и выглядит по-другому. Это удивительно — характер-то прежний, нельзя же поменять характер на пятом десятке. Хотя возможно, что нынешний ее образ и есть подлинный, а прошлый образ как раз и был навязанным.

Но все равно в нашей стране брошенной в сорок лет женщине нелегко. Если в такую женщину мужчина и влюбится, он семь раз отмерит и в итоге, скорее всего, отрежет: как жениться на старухе, даже если она нравится и умница, еще и дети чужие. Это не принято. У нас же существует возрастная дискриминация. Мужчину моложе шестидесяти никто не назовет стариком, женщину старухой — запросто. Почему? Не мужчину же, чье сексуальное долголетие — особая милость судьбы и природы, а женщину природа сконструировала так, что она способна весь свой век заниматься любовью без всяких специальных усилий. Везде и всегда, в любую эпоху женщины живут на десять-пятнадцать лет дольше мужчин. Зачем Бог нам продлил жизнь? Наверное, не для того, чтобы бедным раскольниковым было за кем гоняться с топором. Я вычеркнула слово "старуха" из своего лексикона из принципа. Во французском, в английском такого слова нет, нет этого уничижительного отношения к возрасту. Там "пожилая дама". И там давно никто не обращает внимания ни на возраст, ни на детей. Главное, заискрило или нет.

Я видела чудную пару: монументальная, поразительно некрасивая итальянка и тщедушный американский профессор с большим лбом. Он умирал от ее большого тела. Он на коленях умолял выйти за него замуж. Год ухаживал, пока согласилась. Ему было до лампочки, что у нее четверо детей, что она значительно старше его. У нас в такую пару тыкали б пальцем, хихикая и недоумевая. В одну известную тележурналистку по уши влюбился молодой человек. У них был долгий роман, года три-четыре. И из-за разницы в возрасте (где-то в двадцать лет) она отказалась сначала от брака, а потом и от отношений. Не смогла преодолеть: а что со мной будет через десять лет? А ты можешь об этом не думать? Жизнь очень короткая. Взаимности достигнуть трудно, а здесь повезло — вы оба любите. Что ты изображаешь? Да брось им всем вызов. Не смогла.

Однажды я встретила на тусовке доктора Бранда. Я в тот момент была вся в депрессиях в связи со сложностями в семейной жизни. А у меня такая физиономия, к сожалению, что проницательные люди сразу понимают — я в тонусе или расстроена. Он спросил, что со мной. И я заныла: "...почему жизнь так несправедливо устроена, почему у нас возраст, а у них — бархатный сезон" и т.д.

— Ира, — сказал мне доктор Бранд, — запомните, если вы хотите проверить, нравитесь ли мужчинам (а у каждой женщины время от времени возникают на этот счет сомнения), не проверяйте на ровесниках. Они будут вас ценить. Говорить о политике. А провожать глазами и прочими частями тела будут юных дев. Проверяйте на молодых. Они нуждаются в опыте, в интеллекте и взрослой сексуальности.

Я стала обращать внимание на эту информацию, и, действительно, по всему миру, чем старше женщина, тем моложе любовник или муж. И наоборот. Я и сама заметила, что как только мне подвалило под пятьдесят, вокруг меня стало виться бешеное количество мужчин между тридцатью и сорока. Им страшно интересно со мной. Этот интерес искренний. Потому что именно к этому возрасту женщина становится отточенным бриллиантом. В ней и знание жизни, и сокровенный, усталый шарм, внутри которого мерцает сексуальность. Конечно, есть мужчины, необязательно молодые, которые от этого сходят с ума, но это исключительный случай. Наш социум никак не способствует его выращиванию. Пока же такой мужчина не выращен, появляются косяки брошенных баб. А те, которые не брошены, боятся остаться одни, и их дико раздражают независимые женщины, хищницы, которые спят и видят, как бы отнять их сокровище. Они защищают себя ханжеством и свое безрадостное существование, свою преждевременную старость возводят в ранг образца.

В прямом эфире на "Эхе Москвы" женщина, судя по голосу, моя ровесница, задала вопрос, который меня потряс: а что Хакамада выкобенивается? Ей пошел пятый десяток, вставила новые зубы, сделала круговую подтяжку и думает, что молодо выглядит. Ничего себе! Что ж бабы такие добрые? Я ничего пока еще не подтягивала и ничего не вставляла, но даже если бы и так? Почему, если есть деньги, женщина не должна делать подтяжки и вставлять зубы? С каких пор это ужасно? Разве гнилые зубы и неухоженное лицо — это красиво? Интонация, когда она говорила об этих подтяжках и этих зубах, была такой, словно я переболела сифилисом, а теперь борюсь за нравственность. Во мне нет обиды. Только жалость. Мне хочется протянуть руки и сказать — так нельзя! Вы все — замечательные бабы, надо просто решиться. Не бойтесь себя, не бойтесь мира, не отказывайте себе ни в чем, что возвратит ему краски и объем. Если не ради себя, то хотя бы ради детей. Потому что в стране, где самая значительная часть населения (а женщин от сорока и старше в России — около шестидесяти миллионов) лишена вкуса к жизни, ничего хорошего произойти не может.

Ирина ХАКАМАДА
SEX в большой политике

Корректор
Елена Фрунзе

Компьютерная верстка
Константин Москалев

Подписано в печать 21.02.2006.
Формат 84×100/32.
Гарнитура CharterOSC.
Печать офсетная. Бумага писчая.
Усл. печ. л. 11,3. Тираж 20 000 экз.
Заказ № 125.

Издательство "Новая газета",
Москва, Потаповский пер., 3
e-mail: 2006@novayagazeta.ru

Оптовая продажа книг
ЗАО "Книжный клуб 36.6"
107078, Москва, Рязанский пер., 3
Телефон: +7(495) 540-45-44, факс: +7(495) 265-13-05
e-mail: club366@aha.ru
http://www.club366.ru

Отпечатано в ОАО «ИПП «Уральский рабочий»
620219, Екатеринбург, ул. Тургенева, 13
www.uralprint.ru
e-mail: book@uralprint.ru